PRENDRE DATES

ÉDITIONS VERDIER
11220 LAGRASSE

Patrick Boucheron
Mathieu Riboulet

Prendre dates

Paris, 6 janvier-14 janvier 2015

Verdier

Ouvrage édité avec l'aide
de la Région Languedoc-Roussillon

www.editions-verdier.fr

C'était à Paris, en janvier 2015. Comment oublier l'état où nous fûmes, l'escorte des stupéfactions qui, d'un coup, plia nos âmes ? On se regardait incrédules, effrayés, immensément tristes. Ce sont des deuils ou des peines privés qui d'ordinaire font cela, ce pli, mais lorsqu'on est des millions à le ressentir ainsi, il n'y a pas à discuter, on sait d'instinct que c'est cela l'histoire.

Ça a eu lieu. Et ce lieu est ici, juste là, si près de nous. Quel est ce nous et jusqu'où va-t-il nous engager ? Cela on ne pouvait le savoir, et c'est pourquoi il valait mieux se taire ou en dire le moins possible — sinon aux amis, qui sont là pour faire parler nos silences. Ensuite vient le moment réellement dangereux : lorsque tout cela devient supportable. On ne choisit pas non plus ce moment. Un matin, il faut bien se rendre à l'évidence : on est passé à autre chose, de l'autre côté du pli. C'est généralement là que commence la catastrophe, qui est continuation du pire.

Il ne vaudrait mieux pas. Il vaudrait mieux prendre date. Ou disons plutôt : prendre dates. Car il y en eut plusieurs, et il faut commencer par patiemment les circonscrire. On n'écrit pas pour autre chose : nommer et dater, cerner le temps, ralentir l'oubli. Tenter d'être juste, n'est-ce pas ce que requiert l'aujourd'hui ? Sans hâte, oui, mais il ne faut pas trop tarder non plus. Avec délicatesse, certainement, mais on exigera de nous un peu de véhémence. Il faudra bien trancher, décider qui il y a derrière ce nous et ceux qu'il laisse à distance. Faisons cela ensemble, si tu le veux bien – toi et moi, l'un après l'autre, lentement, pour réapprendre à poser une voix sur les choses. Commençons, on verra bien où cela nous mène. D'autres prendront alors le relais. Mais commençons, pour s'ôter du crâne cet engourdissement du désastre.

Il y eut un moment, le 7 janvier, où l'on disait : douze morts, et on ne connaissait pas encore les noms ; on aurait pu les deviner en y pensant un peu mais on préférait ne pas. Nous sommes encore dans cette suspension du temps, ne sachant pas très bien ce qui est mort en nous et ce qui a survécu dans le pli. Maintenant, un peu de courage, prendre dates c'est aussi entrer dans l'obscurité de cette pièce sanglante et y mettre de l'ordre. Il faut prendre soin de ceux qui restent et enterrer les morts. On n'écrit pas autre chose. Des tombeaux.

Ça n'allait déjà pas très bien
6 janvier 2015

Les assassinats du 7 janvier ne nous ont pas trouvés en très bonne forme. De quoi avions-nous l'air le 6, jusqu'au 6, qui étions-nous au juste et dans quel état, de quoi, de qui étions-nous faits? Indépendamment même du registre particulier qui a trouvé à s'exprimer le 7 et dont nous savons tous qu'il avait déjà eu maintes occasions de le faire sans que, au fond, nous y trouvions tant que ça à redire, à aucune de ces questions nous n'aurions pu apporter de réponse claire. Nous étions tant, et si divers, et depuis si longtemps, que nous avions perdu l'habitude de nous y attarder. Si le 7 nous avons été, et de quelle manière, requis, le 6 nous a trouvés aux antipodes de ces impératifs.

Le 26 octobre 2014, un peu plus de deux mois plus tôt donc, Rémi Fraisse, 21 ans, avait trouvé la mort, comme on dit pudiquement, sur le chantier du barrage de Sivens. On ferait mieux de dire, bien sûr, que les forces de l'ordre françaises avaient reçu de leur hiérarchie (les représentants de l'État, donc nous) des ordres rendant possible la survenue d'un tel événement. La mort de ce garçon a provoqué un certain émoi dans le pays, mais aucun de ses responsables politiques n'a eu la décence minimale d'exiger immédiatement un arrêt complet de ce chantier, indépendamment de toute considération politique, agronomique, écologique, économique, simplement parce qu'en principe, dans un pays si sûr et fier de l'universalité de ses valeurs, on ne saurait laisser sa peau dans le repli boueux d'un chantier controversé. Inutile d'aller au-delà, de finasser, de dire pour la énième fois que les choses sont plus compliquées qu'il n'y paraît, de tergiverser, reporter : on stoppe l'affaire, on fait silence, on se découvre et l'on dit, simplement et gravement, que nul n'aurait dû mourir ainsi, pas plus Rémi Fraisse que qui que ce soit d'autre, et enterrer le projet avec le corps de ce garçon. Les barrages ne sont pas des cimetières. Rien de tout ça n'ayant été fait franchement, on peut dire avec Sophie Wahnich, historienne de la Révolution, que « la mort de Rémi Fraisse nous fait violence », mais surtout qu'elle « dit à quel point notre héritage a été dilapidé et récusé » (dans le n° 70 de la revue *Vacarme*, daté de l'hiver de notre déplaisir, 2015).

On en était là le 6 janvier, dans cet état-là et, si j'ose dire, dans cet État-là. Parce qu'en arriver là suppose évidemment d'être passé avant par une série de décompositions démocratiques profondes sur lesquelles il n'est plus temps, surtout ici, de revenir, et qu'une abondante littérature a déjà radiographiées, sans que, au fond, nous y trouvions tant que ça à redire. Je dis nous, ici, et même quand je dirai « je » ce sera « nous » qu'il conviendra d'entendre, parce que l'un ne va pas sans les autres. Qui est « nous » le 6 janvier ? Le même qui s'est éveillé au matin du 26 octobre, qui s'éveillera au matin du 12 janvier ? Je ne suis pas plus malin que les autres, je n'en sais rien, nous sommes tant, et si divers, et depuis si longtemps, depuis bien avant « nous corps vivants peuplant le monde ce 6 janvier ». Je sais cependant que nous sommes toujours davantage sommés de peupler le monde, et que les jours où nous avons du mal à simplement nous peupler nous-mêmes, à peupler la ville, le pays où nous vivons, la couleur qui nous teinte, les désirs qui nous hantent, ces jours-là le monde est une houle hostile dont nous sommes tentés de récuser l'échelle, de nous abstraire, auquel nous ne trouvons rien à redire, par indifférence, accablement, ou parce que la tâche nous dépasse, et de loin.

Mais les 7, 8, 9 et 11 janvier nous obligent à remettre sur le métier le nous diffus et vague, relâché, incertain, que nous formions le 6, nous obligent à peupler le monde non en le sillonnant à coups d'avion mais en le regardant en face. Dans une sorte de retour aux fondamentaux qui, en France, en ce qui concerne le collectif, a tôt fait de filer droit à 1789, je veux bien reprendre à mon compte les termes par lesquels Sophie Wahnich désigne le « nous » auquel la mort de Rémi Fraisse a fait violence : « tous ceux qui ont travaillé à inventer un espace délibératif conflictuel comme première retenue de la violence », qui ont appris « à dire non et à simplement le faire savoir par la puissance du langage cinglant et des corps assemblés », tous ceux enfin qui ont eu « le courage de l'insurrection pour qu'elle ne soit plus nécessaire ». Et pourtant, s'il fallait, encore ou de nouveau, des morts pour savoir qui « nous » sommes ?

Le corps que nous formons depuis 1789 n'est pas un mythe, n'est pas qu'un mythe, dans cinq jours, le 11 janvier, nous en ferons à nouveau l'expérience aux yeux du monde, lequel n'aura alors pas assez d'alphabets pour le décrire, et ce reflet renvoyé en langues étrangères nous laissera pensifs, rassérénés peut-être, provisoirement, mais pensifs : il n'est de corps cinglants, de langages assemblés, qui ne se pulvérisent, qui ne se désassemblent. Car nous avons peu à peu déserté la grande place ouverte où nos corps se rejoignent pour prendre la parole parce que, même si nous savons bien que nous n'avons que ça, le corps et le langage, pour former tous les « nous » dont nous faisons partie, ou simultanément, ou successivement, nous nous sommes lassés de voir qu'ils ne faisaient plus la vie, mais l'imitaient seulement, parce que les transformations, vertigineuses, du monde ne nous tendaient plus rien que des miroirs lustrés, des habits séduisants, des illusions sociales, des enclos protégés, et, à l'autre bout du spectre, des aumônes, de la graisse et du sucre, de l'indignité en pagaïe, pour ne rien dire des théâtres lointains dévorés par la pègre, les trafics, la haine, la guerre, l'envie. Nous l'avons désertée, sans le vouloir vraiment mais sans le regretter davantage qu'en passant.

Le 6 janvier je sais que la partie du monde où je vis va assez mal, le malaise y grandit et les craintes avec lui. Je sais qu'une part importante de ce malaise provient de la pliure imprimée sur les corps par les années quatre-vingt, avec l'arrivée de la gauche au pouvoir, pliure qui n'a depuis cessé de s'enfoncer dans les peaux et les os – Hollande, je m'en avise depuis peu (voyez combien de naïveté demeure au creux des réflexions), ne faisant que poursuivre la tâche entamée ouvertement par le cynisme sarkozyste. Je le sais, et nous n'en faisons rien. Car, quelles que soient les innombrables propositions, le jaillissement quasi continu d'intelligence collective ici et là, les somptueuses réflexions et propositions politiques venues des plus affirmées de nos marges, aucun de ces essais ne se transforme en un flux qui nous donne envie de nous saisir, de nouveau, de nous. Le 6 janvier, je pense qu'au fond nous n'avons pas encore touché ce fameux fond qui permet, paraît-il, de remonter, que nous ne nous sommes pas laissés encore tailler en assez de pièces pour tout envoyer valser comme nous souhaitons ardemment que le fassent les Grecs et les Espagnols, les Portugais et les Irlandais aussi peut-être, que nous avons tous allègrement laissés tomber, disons-le.

Nous ne voulons rien de ce qu'on nous propose, cela nous le savons, mais nous n'avons pas de forces, ou trop éparpillées, et la crainte grandit. C'est que voilà soixante-dix ans que nous sommes en paix, presque trois générations. Cela ne signifie pas, hélas, que nous ne soyons pas en guerre, lointaines via notre participation à divers conflits externalisés, pour employer un terme choyé par la langue du capitalisme, ou internes, je veux dire dans nos corps, nos cœurs, nos têtes, via la double culpabilité qui nous porte, nous autres qui sommes en paix, la culpabilité des pères, résumée en deux mots : Vichy (ce sont bien des Français, c'est-à-dire nous, qui ont activement collaboré à l'effort de la guerre nazie en envoyant les Juifs de France en enfer), l'Algérie (ce sont bien des Français qui ont colonisé puis exploité l'Algérie, torturé et assassiné des Algériens quand le vent de l'indépendance a soufflé, enfin sans transition ou presque convié en masse ces mêmes Algériens à venir travailler au cœur même de l'ancienne puissance coloniale avant de finir par les vouer aux gémonies du mépris et de la relégation depuis que l'on se dit qu'ils ont, les ingrats, tapé l'incruste). Cette double culpabilité, nous la verrons nous prendre en tenaille, peser de tout le poids de ses malentendus dans les jours qui viennent, après le 11 janvier.

Mais nous sommes le 6, et la crainte grandit depuis quelques mois, un ou deux ans peut-être. Elle est diffuse, certes, mais nette, on ne peut plus l'ignorer, on a passé le stade des signes avant-coureurs, dans le vrac du quotidien, souvent confus, on démêle pêle-mêle : l'exaspération croissante, banale, des gens (de nous) dans la rue, la tension qu'ils (nous) ne prennent plus la peine de masquer, le risque de rixe qui affleure quotidiennement, la misère à ciel ouvert, l'iniquité des traitements, le dévoiement des processus de décision, l'esprit de combine érigé en principe de gouvernement partout où se niche la plus petite parcelle de pouvoir supposé, un paysage politique corrompu, démissionnaire, bien sûr les petites attaques mesquines contre « la culture » (municipalités frontistes, Medef et Rue de Valois confondus), ses acteurs étant sommés de produire de plus en plus de lien pour de moins en moins d'argent, une bruyante campagne haineuse de la fine fleur de la réaction, tous âges et tendances confondus (grenouilles de bénitiers plus ou moins jeunes, psychanalystes, prélats *de toutes les religions,* vieilles familles maurrassiennes plus ou moins bien ravaudées, personnel politique essoufflé et intellectuels épuisés) pour empêcher une avancée vers l'égalité des droits des homosexuel(le)s, et, *last but not least,* le come-back inespéré, massif des religions, toutes tendances confondues là encore, et de leur inépuisable cortège de coercitions en tous genres que d'aucuns ont cru bon de renommer « fait religieux » et de recommander à l'attention de nos chères têtes blondes dès les bancs de la communale… Et j'en passe, il va sans dire, bien plus que je n'en dis. Je note tout cela, certains jours je commence à trouver que ça pèse, je me dis qu'il se pourrait bien que ce soit ça, finalement, ce que les manuels d'histoire nommaient « la montée des périls » pour désigner, avec leur confortable recul, les années trente en Europe. Il y a beau temps que je me demandais ce que ça pouvait bien faire au corps, au cœur et à l'esprit de vivre une période où d'une année à l'autre tous les signaux passent au rouge : est-ce qu'on s'en aperçoit, est-ce qu'on en prend la mesure, est-ce qu'on y pense, est-ce qu'on en rêve, est-ce qu'on en est malade, est-ce qu'on se laisse prendre par surprise, est-ce qu'on se sent condamné à l'impuissance, est-ce qu'on décide d'agir, mais alors pour faire quoi, est-ce qu'on pense à partir, si on peut, et quand ?

On ne sait pas, il va falloir improviser, mais il est certain que, le 6, on en est là. Quelque part entre le marteau et l'enclume, désinvestis, fragmentés, apeurés par les communautés insondables qui surgissent toujours plus nombreuses, toujours plus fermées. Laminé économiquement au fil des années quatre-vingt et quatre-vingt-dix, le dernier « nous » en date que nous ayons formé généralement sans trop d'hésitation, parfois même avec enthousiasme, entre 68 et 78, est laminé idéologiquement au mitan des années deux mille par le chœur de la sarkozie chantant sur tous les tons sa haine recuite de Mai 68. Le point culminant de ce laminage n'est pas encore atteint, mais c'est prévu, c'est pour demain, le 7 janvier. *Ite missa est.* Et cette rengaine-là aussi se chante sur l'air d'une culpabilité dans laquelle nous nous laissons trop souvent enfermer, la plupart de ces élans des années soixante-dix ayant fini dans des impasses meurtrières auxquelles est d'emblée renvoyé sommairement tout ce qui tente, hors sentiers et organisations, de nous sortir de la glu mortifère dans laquelle nous sommes pris – Gênes, pour mémoire, et gageons que d'aucuns ragèrent, le 26 octobre 2014, d'avoir échoué à faire de Rémi Fraisse un dangereux activiste de l'« ultragauche ». Dès demain, 7 janvier, c'est la question des impasses meurtrières qui, littéralement, nous sautera de nouveau à la gueule.

Ce n'est plus une tenaille, mais cinq, mais dix, qui menacent de nous prendre entre leurs arêtes acérées. Trop de fronts sont ouverts et de questions posées auxquelles on n'ose apporter les réponses que le regroupement de nos pensées susciterait. On tâche pourtant, depuis le temps, de faire du mieux qu'on peut. Mais toujours la mort nous fait violence. Le 6 janvier je rentre de Berlin, où Frau Merkel, un œil sur Kiev et l'autre sur Athènes (pas de différé, même léger, dans les allées du pouvoir, que du direct et du simultané), commence à s'inquiéter, semble-t-il, de l'expansion du mouvement des Patriotes européens contre l'islamisation de l'Occident (Pegida), qui prend de l'ampleur, là-bas à Dresde tout entière livrée à la spéculation mobilière et immobilière, dépecée par le tourisme. Pour ceux à qui ça aurait échappé, l'écrivain Renaud Camus, qui écrivit longtemps dans *Gai pied* et fut en son temps préfacé par Roland Barthes en personne, entend se faire l'importateur et le représentant de Pegida en France – ça donne une mesure, microscopique certes, mais une mesure, française et rance, des glissements insensés qu'il faut enregistrer, ne pas perdre de vue.

Le 6 janvier je rentre de Berlin, il fait froid, partout la neige sur le sol vu du ciel. L'Europe est pâle, nous sommes épars.

Des sons sans image
7 janvier 2015

Ce furent des questions à n'en plus finir. Pardon de le dire ainsi, mais c'est le mot qui me vient : des questions en rafale. Et pourquoi ceci, mais enfin cela, et où sont-ils maintenant les méchants, et les policiers vont-ils les arrêter, mais s'ils tirent à nouveau comment on va faire, les mettre en prison d'accord oui mais s'ils ne veulent pas y aller eux en prison, est-ce qu'on aura le droit de leur tirer dessus, ah bon on ferait ça, alors je ne comprends pas c'est mal de tirer sur les gens on ne va pas faire comme eux quand même. Pourquoi tu ne nous réponds pas ?

Les deux petites filles, emmitouflées dans leurs capuches, galopent intarissables et gaies. Elles sont inquiètes pourtant, car tout de suite, quand cela a eu lieu, on a compris qu'il était vain de prétendre les préserver de ça, de faire comme si nous n'étions pas bouleversés et tristes, comme si leur vie d'une certaine manière n'allait pas changer, leur vie à elles peut-être pas mais celle qui se déploie autour oui, bien entendu. C'est arrivé, nous avons vécu cela, ce que l'on a vu on ne pourra jamais faire qu'on ne l'ait pas vu, le pli est pris – inexorablement. L'événement est cette déflagration qui rend d'un coup le passé imprévisible.

Alors elles galopent, les deux petites filles, elles galopent dans la nuit, ce serait l'heure d'aller se coucher pourtant mais on les tire par la main, vite vite dépêchez-vous, vers la place de la République où la foule depuis deux heures déjà si tranquillement se presse. Ils sont encore à Paris les méchants ? On ne sait pas. Dans ce cas, ce n'est pas très malin de se rassembler ainsi, ils pourraient revenir et nous tuer.

Pour elles aussi, dans les jours et les semaines qui suivirent, il fallut bien trouver des mots. Je lirai plus tard une histoire d'animaux qui se disputent parce qu'ils ont cru entendre qu'ils devaient chasser de leur ferme celui ou celle qui n'est « pas comme nous » mais ne savent lequel d'entre eux désigner. Un bruit de casserole leur fait craindre l'orage : ils sortent pour se serrer les uns contre les autres. Ah oui demandera la plus grande, comme nous le soir où il y avait les attentats, quand on est parti à la République. Oui. Mais pourtant on criait « On n'a pas peur ». C'est vrai mais en fait je crois qu'on avait peur. Ah bon, on avait peur finalement. Oui. Et aujourd'hui ? On essaye de ne pas.

Ce soir-là, les deux petites filles ont vu douze montgolfières blanches se hisser en tremblant, fières et frêles, dans le ciel de Paris, et je crois que cela les a apaisées. Elles ont vu des visages graves, endeuillés, solennels, des larmes et de la colère – quelque chose d'incertain et d'entêté qui tentait d'improviser, sur place, *in situ* comme on dit, et au moment où cela était arrivé, un moment que personne n'avait choisi, sinon eux peut-être, les autres, dont on ne connaissait pas encore le visage, une manière un peu digne d'être ensemble. Elles ont entendu quelques cris, des applaudissements qui montaient brutalement en cascade, comme ces sanglots dans tant de gorges nouées, mais ce qu'elles retiendront d'abord sans doute c'est le silence. Et parmi ces cris qui le perçaient, proférés on ne sait trop pourquoi car il n'y avait alors rien à revendiquer ou à contester, ce mot un peu compliqué dont on ne comprend pas le sens mais qui a l'air d'être vraiment une grande affaire pour tous ces gens réunis, « Liberté », et cet autre, disant le nom de quelqu'un dont elles ignoraient l'existence quelques heures auparavant, mais qui semble désormais avoir toujours fait partie de la famille, avec cet empressement qu'ont les enfants à accueillir sans barguigner dans leur univers familier un chat, un jouet, une idée, un nouvel ami : « Charlie ».

Certains ont dit qu'ils ont crié cela en entrant dans l'immeuble de la rue Nicolas-

Appert, un peu avant 11 h 30, ce mercredi 7 janvier : « Il est où Charlie ? » Tout devait donc se passer comme dans ce livre pour enfants où un petit personnage, Charlie, se planque au milieu de tant d'autres qui lui ressemblent, dans une grande foule colorée faisant tableau dans l'animation des villes. C'est fait pour calmer les petits, normalement, pour les exercer à l'acuité – mais dans ce cas, comme si souvent dans les jeux qui tournent mal, l'angoisse est d'autant plus profonde qu'elle assombrit d'un coup l'apparente innocence d'un rire juvénile.

De quoi aura-t-on à parler bientôt, sinon de cela : l'assassinat de dessinateurs, des gens qui passaient leur vie à peupler des pages de petits personnages aux yeux ronds comme des billes. « Où est Charlie ? » C'est drôle tant que l'on ne cherche pas un suspect, quelqu'un qui sait se déguiser, se fondre dans la masse, ressembler à quiconque. Lorsqu'on comprendra que de cette foule peuvent en sortir d'autres, bien d'autres, on ne rira plus du tout, mais il sera trop tard. Dans quelques heures, de toute façon, la question n'aura plus de sens : chacun des petits personnages de ce qui s'écrira d'emblée comme « page d'histoire » va dire « Je suis Charlie » et alors ils seront bien attrapés les terroristes, désorientés devant tant de cibles possibles, ils ne vont pas tous nous tuer quand même ?

D'une certaine façon si – et toute la question de ces jours à venir est de savoir si ce n'est pas déjà fait. Car je suis d'accord avec toi : ça n'allait pas très bien, le 7 janvier 2015. Comment la journée avait-elle commencé ? J'allais dire presque comme d'habitude : par quelques mauvaises nouvelles entendues à la radio. Ce matin, c'était la sortie d'un roman dont le titre, *Soumission,* disait très exactement le propos et l'effet escompté. Faire d'un événement littéraire une nouvelle étape dans la spirale désespérante des décompositions démocratiques, voilà qui manifestait sans conteste une sorte de génie français dans l'art de l'abjection. Michel Houellebecq est un écrivain de l'abjection. C'est un écrivain, ce n'est déjà pas si mal, mais de l'abjection.

Très exactement ce dont on avait besoin pour ce matin du mercredi 7 janvier, apparemment. On l'invitait donc à la matinale de France Inter, après l'avoir reçu la veille au journal télévisé de France 2. La satire politique qu'il avait imaginée prophétisait une conjoncture électorale devant, dans un futur assez proche, livrer la France à l'islam – ou à la soumission, mais vous savez bien que c'est le même mot.

L'avant-veille, le lundi 5 donc, le président de la République avait été sommé de dire ce qu'il en pensait. Je ne l'ai pas lu, répondit-il, mais je vais le lire, je vous le promets, « parce qu'il fait débat ». On ne sait ce qu'il en est advenu depuis – de la lecture présidentielle et du débat qu'elle promettait. Et François Hollande de dénoncer « cette tentation de la décadence, du déclin, de ce pessimisme compulsif, de ce besoin de douter de soi-même ». C'était assez bien vu, et visait très probablement la précédente séquence, qui nous avait déjà bien accablés : celle qui, à la faveur de l'impressionnant succès du *Suicide français* d'Éric Zemmour, avait déclenché ce fameux « débat » où chacun y va de son commentaire dans l'ignorance souveraine de ce que la plupart d'entre nous, sans doute, attendent en pareil cas : qu'ils se taisent, qu'ils se taisent tous. L'affaire Houellebecq allait prendre le relais, les commentateurs étaient aux aguets, on le sentait bien et on en était fatigué d'avance. Mais voilà, vous voyez bien qu'il ne faut pas croire les prophètes de malheur qui parient toujours sur la lenteur inexorable des spirales descendantes. Cela ne s'est pas passé comme ça. Ce fut pire.

Pour ma part, j'étais dans le métro quand mon portable vibra des premières alertes. Lorsque j'arrivai à la Maison de la radio, on savait déjà l'essentiel : attaque à la rédaction de *Charlie hebdo,* carnage, douze morts. J'étais convié à un micro pour parler d'autres choses. J'y réussis tant bien que mal, comme la plupart des personnes autour de moi, hébétées et incrédules, mais s'affairant tout de même, à la manière des automates.

Quelques heures plus tard, c'eût été strictement impossible. Je m'interroge aujourd'hui sur cette étrange période de latence, ces moments blêmes et froids où l'on sait déjà tout mais sans rien ressentir ni vraiment chercher à connaître les détails, ce qui permet d'agir sans réfléchir – vraisemblablement un mécanisme de survie. S'il se déclenche, on comprend au moins que c'est grave. Ensuite, c'est terminé : on ne pense qu'à ça et on ne fait plus rien, compulsivement.

Nous étions nombreux, après le 7, et pendant plusieurs jours, à ne pouvoir ni parler ni se taire, incapables surtout d'une conversation portant sur autre chose, et à considérer comme une insupportable agression, une indignité, toute parole prétendant divertir de ce chagrin sans fond. Les vœux de bonne année, en particulier, en prirent un sacré coup. Dans le *Charlie* du jour paraissait un dessin de Charb titré « Toujours pas d'attentats en France » tandis qu'un djihadiste à l'air vraiment demeuré – il faut dire : qu'est-ce qu'ils leur mettaient aussi – rectifiait : « Attendez ! On a jusqu'à la fin janvier pour présenter ses vœux. » Et quelques minutes avant l'attaque, les réseaux sociaux diffusaient la carte de bonne année dessinée par Honoré, sombre et ciselée comme une gravure luthérienne : on y voyait Abou Bakr al-Baghdadi, le chef de l'organisation dite État islamique, qui ajoutait : « Et surtout la santé ! »

Charb et Honoré sont morts assassinés ce mercredi 7 janvier, et dix autres avec eux, mais pour Honoré on ne le savait pas encore. Des victimes de la tuerie nous ne connaîtrons la liste complète que tard dans la soirée. Les noms les plus célèbres percèrent rapidement cet écran de stupéfaction – Cabu, Wolinski et Charb, Bernard Maris un peu plus tard – mais pas tous, si bien que la journée du 7 se déroula comme engourdie d'une horreur abstraite. Il y avait des morts, c'était nos morts, ça nous le savions, mais nous ne pouvions pas encore leur donner un nom, pas plus que nous n'étions capables de faire le compte de ce qu'ils endeuillaient en nous.

Les visages et les noms viendront plus tard, en une lente et solennelle procession – quant à mettre des idées sur tout cela, n'en parlons pas. Une seule certitude : c'est la guerre, la plus pernicieuse des guerres, la guerre en temps de paix, et l'on se dit que cette fois-ci elle a frappé tout près de nous. On a tort évidemment, on se protège encore, c'est plus simple et plus terrible que cela : elle est déjà en nous, la guerre, elle nous désoriente et nous ensauvage, elle est de celles que l'on ne déclare pas mais qui un jour est là, déjà là, et ce jour est ce jour, 7 janvier.

Nous passâmes alors notre temps à nous abrutir devant des écrans. Télévisions, ordinateurs, portables : tout est bon pour qui veut se donner *la peine de voir*. On connaît bien, maintenant, l'effet anesthésiant de ces flux d'images, déversés par les chaînes d'information continue, ces grandes pourvoyeuses de plans de coupe : voitures de police, officiels se rendant sur place, experts de plateaux télé. Tout ce fatras ne fait qu'envelopper un point aveugle que, durant plusieurs jours, nous appellerons, faute de mieux, sidération. Car le moment exact de l'attaque reste proprement obscur – et il m'arrive encore, un mois plus tard, de redouter avec effroi que surgissent sur internet ces vidéos que les tueurs, dit-on, aiment tant tourner de leurs exploits, petite caméra à la poitrine préparant sournoisement leurs revanches posthumes.

Une seule photographie, à ma connaissance, a été publiée de la tuerie. C'est une image malgré tout, de celles qui font toujours mentir les mythologies faciles de l'irreprésentable, et parce qu'elle nous place au seuil, au bord même de ce qui peut être regardé, elle a quelque chose à voir avec le sacré, ou plus exactement avec l'idée même de sacrilège. On y voit un couloir étroit, jonché de papiers épars et sillonné d'une longue traîne de sang. Il donne sur une pièce, où se devine un amas de chaises renversées. La pièce. Celle où ils se réunissaient et où les assaillants firent irruption. Celle que Philippe

Lançon, qui fut l'un des onze blessés, décrivit six jours plus tard par bribes et par à-coups, « dans la minute horriblement silencieuse qui a suivi le départ des tueurs aux jambes noires ». Car de là où il était, allongé sous la table parmi ses compagnons morts, il ne pouvait rien voir d'autre que cela, des jambes noires. Et qu'ont-ils vu, ceux qui les premiers ouvrirent la porte de cette pièce sanglante, et dont on ne pourra pas s'empêcher, des jours durant, d'écouter en boucle l'insoutenable témoignage ? Blessures de guerre, scènes de guerre – toujours ce mot qui revient, la guerre, obsessionnellement.

Mais seuls sont visibles les abords du crime. Ce que nous vîmes vraiment, par écrans interposés, furent donc des images incidentes et biaisées, sales, floues, tremblantes, puisqu'il est dit que nous sommes désormais condamnés à ne plus percevoir du monde, de ce monde que nous ne savons plus peupler, que ce qu'en captent les téléphones portables. L'un était à une fenêtre et filmait des hommes et des femmes réfugiés sur le toit de l'immeuble pendant que claquait le son mat des kalachnikovs. On entendra la même chose le 14 février à Copenhague, lors d'une attaque terroriste contre une conférence publique sur l'art et le blasphème donnée en hommage aux victimes du 7 janvier : une personne qui parle, puis le bruit des armes qui la fait taire, et puis plus rien.

Des sons sans image, oui, mais aussi sans parole. Enfin pas tout à fait : car d'autres personnes, postées ailleurs, avec d'autres téléphones, filmaient d'autres points de vue. Le plus terrifiant, on s'en souvient, est celui sur la fuite des tueurs. Arrivés boulevard Richard-Lenoir, ils font feu sur des flics patrouillant à vélo. L'un d'eux, blessé, est à terre. On apprendra dans la journée qu'il s'appelait Ahmed Merabet. Un tueur avance vers lui, il ne court pas, non, disons qu'il presse le pas. Le policier le supplie du geste et de la parole, pour lui aussi ce sera l'homme aux jambes noires, mais le voici qui s'avance, toujours en trottinant, le longe, l'abat d'une balle en pleine tête, le dépasse, disparaît. Le tracé tranquille et sûr de son parcours, à peine dévié, pas même ralenti, voici ce qui est le plus effrayant. Il y eut quelqu'un pour filmer cela de son balcon avec son portable et pour poster cette vidéo sur son compte Facebook, auprès de ses 2 500 amis. Quinze minutes plus tard, il se réfrénait et la supprimait – c'était évidemment trop tard. Il dira courageusement sa honte et son dégoût. On le sait désormais : ce n'est pas qu'internet est sans scrupule, c'est que créant de l'irréversible, il est sans remords possibles.

Que faire de tout cela ? Au moins ceci : ces vidéos ont enregistré quelques paroles de mort, de ces discours d'escorte du crime qu'il nous faut, malgré la crainte qu'ils inspirent, entendre. Tout ce que les tueurs ont dit ce jour du 7 doit être relevé, précisément relevé, comme l'on ramasse les douilles au sol, les entourant d'un trait de craie. On le fait pour plus tard, on relève des indices soigneusement, en se concentrant sur les détails, même si l'on ne comprend pas grand-chose sur le moment – mais plus tard. Ce furent donc quelques mots, nets et précis, comme des balles. Car les tueurs ne défouraillaient pas comme au cinéma : une cible, une balle – viser la tête. Le reste je ne dis pas, leurs gestes sont un peu approximatifs, ils vont, ils viennent, ils se trompent d'immeuble, ne connaissent pas le code, hésitent, perdent une chaussure, s'énervent. Tout cela fait un peu amateur. Mais tuer, ça oui, manifestement ils savent faire. Et c'est tout ce que l'on voit ce mercredi 7 janvier tandis que l'on ne sait encore rien d'eux : ce mélange scandaleux, proprement exaspérant, et évidemment terrifiant, de gestes d'adolescents gauches et de professionnels de la mise à mort.

Ils ont crié « *Allahou akbar* » et, plusieurs fois, « On a vengé le Prophète. » Ils ont dit « C'est Al-Qaïda au Yémen. » À plusieurs reprises aussi ils ont dit : « On a tué *Charlie hebdo.* » C'est avec tout cela que nous devons faire désormais. Allah, le Prophète : nous sommes persuadés que l'islamisme est une caricature de l'islam, mais combien de temps allons-nous encore nous contenter de dire qu'il n'a rien à voir avec l'islam? Al-Qaïda au Yémen: nous avons horreur de la guerre mais ne cessons pourtant de la porter au loin, aussi faudra-t-il bien un jour se demander ce que l'on en pense réellement. Tuer *Charlie hebdo*: de manière massive et spectaculaire, on s'est ingénié dans les jours qui suivirent à prouver que la liberté d'expression ne pouvait pas mourir – mais en est-on certain? On ne peut totalement exclure que, par quatre fois, les tueurs aient dit le vrai.

Sans doute étaient-ce déjà ces questions qui commençaient à se former dans nos têtes lorsque nous revenions de la place de la République. Des vraies questions d'adulte, celles-là; on les reconnaît au fait qu'elles sont profondément déplaisantes. Les petites filles avaient fini par se coucher, mais l'on ne pouvait se résoudre à éteindre la télévision. Est-ce cela que l'on appelle veiller? Les tueurs avaient désormais un nom et un visage : Saïd et Chérif Kouachi, 34 et 32 ans. Mais on avait perdu leur trace quelque part au nord de Paris. Les télévisions diffusaient en direct des scènes irréelles où des policiers du RAID patrouillaient et perquisitionnaient dans les banlieues de Reims, au milieu d'adolescents encagoulés et rigolards dégainant leurs selfies.

Tout, on le sentait bien, allait devenir incroyablement compliqué. L'apaisement du rassemblement de la place de la République fut de courte durée. Je me couchai tard et me réveillai en sursaut au milieu de la nuit. « Où est Charlie ? » Les visages beaux et graves que j'avais croisés le soir même, je les avais pris pour une image de la société mobilisée, disons même de la France. Mais ils me revenaient dans la nuit, un à un, et je les reconnaissais. Alors je vis ce que je n'avais pas vu quelques heures plus tôt. Il en manquait, il en manquait vraiment beaucoup.

Un rapport incertain
8 janvier 2015

L'étrange période de latence, blême et froide, ce sont les dessinateurs qui l'ont illustrée de la façon la plus saisissante, en l'occurrence et sauf erreur Tex Avery : le personnage ou l'animal héros du dessin animé court comme un dératé le long d'un précipice mais le bord de la falaise ne l'arrête pas, tout occupé qu'il est d'échapper à la menace il poursuit sa course dans le vide comme si la terre le portait toujours, et ce n'est que lorsqu'il se rend compte du danger, c'est-à-dire, comme il se doit, trop tard, qu'il tombe effectivement.

Quand j'apprends la nouvelle des assassinats du 7, je mets une bonne demi-heure ou une heure à commencer à prendre la mesure de la chose, c'est-à-dire à comprendre que tout, en effet, allait devenir incroyablement compliqué, même si déjà rien n'était simple. Et au matin du 8, dans l'état intermédiaire entre veille et sommeil qui précède le lever, où l'esprit reprend le fil, je commence à assembler des fragments de vie comme si rien ne s'était passé pour tout aussitôt me dire, Ah j'oubliais, hier est arrivée une chose à laquelle je ne vais pas pouvoir ne pas penser absolument toute la journée – d'ordinaire ce genre de bloc d'affects et de pensées obsessionnels sont la marque du deuil, de l'état amoureux ou de la mise au net d'un livre, activités de paix.

Or, ce matin c'est la guerre, pour moi, et pas n'importe quelle guerre : la guerre civile. Je sais, cela peut, déjà, paraître exagéré, voire obscène compte tenu du fait que nous sommes parfaitement en paix et que ce spectre-là se dresse dans suffisamment d'endroits de par le monde où les souffrances sont advenues et non simplement redoutées, mais je veux rester au plus près de celui que j'étais ce jour-là, et celui-là pensait « guerre civile ». Et je me lève, un pied dans l'accablement, l'autre dans la colère. Pas besoin d'en rajouter sur l'accablement, il me semble que ce sentiment était largement partagé, même si ce n'était pas forcément pour les mêmes raisons (« On ne tue pas pour un dessin, il a pensé qu'à sa gueule Chérif », dira sa sœur aux flics le 10, dans deux jours, apprendra-t-on le mois suivant). La colère, en revanche, je veux bien m'y attarder un peu. Elle est ancienne, elle vient des années soixante-dix, elle est directement liée à la question de la violence en politique. Les années soixante-dix en Europe ont été sérieusement secouées par le recours à la violence d'une partie non négligeable de l'extrême gauche (mais aussi de l'extrême droite, en Italie particulièrement). On a tout fait depuis, d'abord policièrement, puis judiciairement, puis idéologiquement, pour que cette flambée de violence soit désormais perçue comme résultant de la dérive suicidaire d'exaltés en mal d'absolu, pour occulter la masse des questions, pour la plupart pendantes, que ces mouvements adressaient aux sociétés qui les avaient générés. Au fil des années quatre-vingt, quatre-vingt-dix, deux mille, trois décennies quand même, cet usage-là de la violence a régressé, en Europe, considérablement, de façon inversement proportionnelle à l'accroissement de la violence symbolique exercée sur les individus par le capitalisme qui, on le sait, a fait tache d'huile sur la planète dès le mur de Berlin tombé, en 1989. (Je schématise, c'est entendu, mais je rappelle que nous sommes le 8 janvier, et dans quoi j'ai mis les pieds au réveil : pas de quoi finasser.) Ma colère vient de ce que cette question est de nouveau posée par des gens dont cette fois tout me sépare, et du fait que je réalise avoir sous-estimé les précédents, survenus dans l'intervalle, et en particulier leur dimension clairement anti-sémite (jusques et y compris les meurtres de Mohammed Merah en mars 2012) : je ne veux pas voir que ça revient, ou plutôt que ça n'a jamais vraiment cessé, parce que (1) l'infamie pétainiste est dure à digérer et tout ce qui renvoie de près ou de loin à ce passé-là rémane ici comme un cauchemar, (2) la politique de l'État d'Israël me dégoûte plus souvent qu'à son tour – je suis loin et je n'en sais que ce qu'en savent ceux qui comme moi tentent de s'informer à peu près honnêtement, mais elle me dégoûte souvent, et ce ne sont pas les incitations faites aux Juifs de France d'accomplir leur *alya* par Benjamin Netanyahou dans quelques jours et ses calculs électoraux à la petite semaine qui me feront changer d'avis. Tu parlais de questions profondément déplaisantes, en voilà une.

Tout ça m'emmerde, pour le dire crûment, parce que ça m'est entré dans le corps directement hier, à la République, et que quand je ne suis pas au bord des larmes je maugrée, râle, tempête, gueule. Je sais, ce sont des balles qui ont éclaté la tête de douze personnes hier dans le onzième, et moi je suis vivant, mais ce qui m'est entré dans le corps, porté par le son mat des kalachnikovs filtré par les iPhones, c'est l'irrémissible faillite du monde qui pourtant, en principe, depuis Auschwitz, devait tâcher de ne plus trop faillir, et qui n'a jamais cessé de le faire, parfois allègrement, même si je sais, au fond, ou plus exactement si je découvre que je sais depuis longtemps que la faillite est l'horizon du monde.

Radio sans interruption dans la voiture, quatre cents kilomètres à faire ce matin, je pars pour une semaine : une fusillade a éclaté à Montrouge, semble-t-il à la suite d'un accident de la circulation, un agent de la police municipale et un agent de la voirie sont blessés, le tireur est en fuite. On reste dans l'ambiance, mais la confusion est grande : c'est lié, c'est pas lié ? Pour le moment on isole, on attend d'en savoir plus (on sait maintenant à quel point c'était lié et à côté de quoi on est passé le 8, si on ose dire, encore que, bien sûr, si ce qui était prévu par les assassins avait eu lieu le 8 on n'aurait sans doute pas eu le 9, mais ne refaisons pas l'histoire, elle est déjà assez compliquée comme ça). Et surtout : on pense tout et son contraire, on écoute, on regarde, on lit, on pense que tout le monde a raison et l'instant d'après que tout le monde a tort, bref on ne pense pas, on ne pense plus, à cet égard, soyons beaux joueurs, les instigateurs de ces tueries ont parfaitement réussi leur affaire, c'est un sans-faute.

La période de latence reprend donc de plus belle, nous sommes dans le vide en pensant encore fouler la terre ferme, la journée du 8 ce sera ça, la suspension, les supputations, la chasse à l'homme là-haut, dans l'Aisne, où ont filé les frères Kouachi qui ne pensent qu'à leur gueule et ont été repérés dans une station-service près de Villers-Cotterêts, ville natale d'Alexandre Dumas, métis si je ne m'abuse, dirigée depuis bientôt un an par un maire Front national qui a décidé (entre autres) de ne plus célébrer la Journée de l'esclavage le 10 mai au prétexte qu'il y voit une « autoculpabilisation permanente » – en plein dans le mille, c'est avec ce genre d'épices qu'on va pouvoir relever un peu ce qui mijote dans nos chaudrons.

Finalement à Montrouge l'agent de la police municipale est mort, c'était une jeune femme, et le type qui l'a butée n'avait aucun lien avec l'accident de la circulation et a disparu dans la nature. Le rapport reste incertain, mais c'est bizarre quand même : est-ce un dingue qui profite de ce qu'un certain nombre de digues sautent pour donner libre cours à ce qui le travaille, c'est-à-dire un fait divers qui profite d'un fait politique pour s'accomplir en espérant se faire passer pour autre chose que ce qu'il est, comme l'automobiliste fou faucheur de onze piétons à Dijon voici quelques semaines, ou est-ce un second fait politique, autonome, isolé, sur le modèle de l'attaque d'un commissariat à Joué-lès-Tours voici aussi quelques semaines, qui se faufile dans le sillage du premier, ou encore, scénario que la sidération paranoïaque dans laquelle nous sommes suggère et favorise, est-ce une action coordonnée avec celle de la veille, c'est-à-dire un complot ?

Je coupe la radio, je n'en peux déjà plus, qu'ils se taisent, qu'ils se taisent tous disais-tu à propos des tombereaux de commentaires sur la glorification écrite de l'abjection ordinaire par ses deux principaux thuriféraires du moment – pas un pour racheter l'autre –, et je reprends ta demande : faisons un moment silence, car même si le show continue, les morts le requièrent. Des balles sont entrées dans leurs corps, il faut maintenant que leur mort entre dans les nôtres et que nous les portions ensemble, c'est pour cela que nous sommes allés hier soir, le 7, place de la République. Pour Frédéric Boisseau, 42 ans, Franck Brinsolaro, 48 ans, Jean Cabut, dit Cabu, 76 ans, Elsa Cayat, 54 ans, Stéphane Charbonnier, dit Charb, 47 ans,

Philippe Honoré, dit Honoré, 73 ans, Bernard Maris, 68 ans, Ahmed Merabet, 42 ans, Mustapha Ourrad, 60 ans, Michel Renaud, 69 ans, Bernard Verlhac, dit Tignous, 57 ans, Georges Wolinski, 80 ans. Et ce matin Clarissa Jean-Philippe, 25 ans. La mort des plus connus, un temps, un bref temps, occultera celle des moins connus, et tout au long de la semaine suivante les obsèques des plus connus seront plus suivies, plus rapportées que celles des moins connus, mais tous ont été nommés, à chacun il a été rendu hommage, sans distinction. Pas un membre du personnel politique, cette fois, pour déraper et distinguer les victimes inno-centes de celles qui l'auraient bien cherché en étant qui dessinateur, qui juif, ils se tiennent plutôt depuis hier, je crois qu'ils ont peur – pas un membre du personnel poli-tique pour déraper, donc, mais côté popula-tion ça ne va pas tarder, sans doute en partie « ceux qui manquaient », mais on n'en est pas encore à se compter…

Une fois descendu de voiture, et pour au moins une bonne semaine que devait durer mon séjour, je n'ai, compulsivement, plus rien fait que regarder les plans de coupe fournis par les chaînes d'info. Et écouter les commentaires de coupe, et lire les réactions de coupe. Mais le champ reste désespérément vide, c'est un champ de mort rythmé par les rafales des AK-47 (et nous voici usant, déjà, de mots de guerre) passant en boucle et rendant un son infiniment plus effroyable et surtout infiniment plus réaliste que les mêmes rafales tirées dans une série américaine, où elles s'entendent ouatées. Évidemment, le réel ne cesse de marquer des points dans le match qu'il dispute à la fiction, ou plutôt que la fiction lui dispute. Dans les jours précédant le 7 janvier, j'avais vu la saison 4 de *Homeland,* laquelle se déroule au Pakistan et narre la traque du chef d'une organisation terroriste islamiste responsable d'un certain nombre d'attentats et d'atrocités par les services secrets américains, traque qui finit par échouer après force rebondissements, la faillite étant l'horizon du monde… Le tout est redoutablement efficace et a valu aux Américains une protestation officielle du Pakistan au motif que le rôle joué dans la série par les services secrets pakistanais, guère reluisant, relevait de la diffamation. On est accros aux séries de ce genre comme on l'est aux plans de coupe des chaînes d'info en continu, et le réalisme débordant de détails sophistiqués des unes se mêle à la pauvreté narrative intrinsèque des autres en une sorte de continuum créant de curieux effets de distorsion et surtout un imaginaire commun passablement déréglé. Mais quand le réel revient sous forme de rafales de mitrailleuse décimant la rédaction d'un journal en plein Paris, il disqualifie les unes et les autres, il suspend le temps des écrans, du coup on prend les gosses sous le bras et on file à République, ou ailleurs, là où on espère que le sol ne se dérobera pas sous nos pieds comme il se dérobe en permanence ou presque sous nos yeux : « alors s'affine une perception politique de tout, on descend dans le monde, on n'y comprend de plus en plus rien, car rien ou presque rien ne devrait être comme c'est, tout ou presque devrait être autrement pour être vivable », pour le dire avec les mots de Nathalie Quintane dans *Crâne chaud*.

Alors ça y est, on est descendus dans le monde, c'est certain, mais dans quel monde, et sous quelle forme, sous quel nom ? Apparemment sous le nom « Je suis Charlie » et dans un monde où un slogan (ça vient du gaélique, slogan, et ça voulait dire « cri de guerre » au départ, on n'en sort pas) apparu un jour (hier, le 7) vers 13 heures est repris quelques heures plus tard par la planète entière à coups de hashtags, photocopieuses, crayons, mégaphones, *homemade pins* et autres compositions florales. Évidemment, comme toute identité assignée, fût-ce sans intention de nuire, celle-ci suscita aussitôt des rejets, et le monde des plans, commentaires et réactions de coupe se mit à bruire, dès la nuit du 8 tombée, des divers dérapages relevés dans les écoles lors de la minute de silence observée à midi par le pays presque entier. Dérapages auxquels il convient sans doute d'être attentifs, car eux, au moins, disent quelque chose, même si c'est déplaisant, et qu'il faut mettre en regard de dérapages inverses : ces établissements où l'on n'a tout simplement rien fait, sur décision de l'administration, pour ne surtout pas avoir d'histoires (comme si on ne les avait pas déjà), ou ce professeur de français disant à un garçon de 15 ans bouleversé qui voulait un débat : Ah bon, ça t'intéresse ? Il faut admettre que les douze morts d'hier ne sont pas les morts de tout le monde, ne pas les pleurer ne signifie pas forcément s'en réjouir. On n'en est pas encore à se compter, c'est certain, mais enfin deux jeunes Français qui en dézinguent douze autres, globalement moins jeunes, au fusil-mitrailleur en plein Paris, ça n'embrase certes pas le pays et ça mettra dans trois jours quatre millions de personnes dans les rues en une ample protestation de corps assemblés, cependant ça dessine une tendance, ça donne une direction, ça dit que parmi nous certains sont prêts à en découdre avec nous, et même s'ils ne pensent qu'à leur gueule, ceux-là, c'est la nôtre qui est dans leur viseur. La guerre civile, celle de tous contre tous, notre devenir *Game of Thrones,* série néo-shakespearienne et para-moyenâgeuse où l'on trucide allègrement avec un goût prononcé pour les gorges tranchées, au couteau ou à la hache selon l'humeur. Et cette fois c'est le réel des mises en scène macabres des exécutions par égorgement de Daech en Syrie et en Irak qui font voler en éclats les haletants délires fantasy concoctés au soleil de la Californie, exécutions filmées avec soin, dont la télévision et les journaux ne montrent que des plans de coupe, une fois encore et si j'ose dire, ou des arrêts sur image, mais pas internet, vecteur d'une mondialisation sans remords, exécutions perpétrées avec le concours actif, semble-t-il, de jeunes d'ici, « nos » jeunes, ce qui pose une des questions profondément déplaisantes qui nous agitent, au-delà même du recours à ce mode d'exécution qui tient de l'horreur pure: vont-ils là-bas précisément parce que c'est un des endroits lointains où nous n'avons pas porté la guerre? Et les pauvres types qu'ils égorgent, enrôlés en Syrie du côté Al-Assad, les aurions-nous pleurés s'ils avaient disparu sous le tapis moelleux de nos propres bombes?

La nuit est tombée, dans l'Aisne la traque continue, en région parisienne on cherche toujours la trace du gars qui a tiré à Montrouge, à part cet épisode la journée a été calme, finalement, mais comme le pire, s'il n'est jamais sûr, est toujours à venir on se couche sans bien savoir au juste ce qu'on a sous les pieds, le bord de la falaise, encore, ou déjà le vide.

On n'y voit rien

9 janvier 2015

C'est le jour des terroristes. On va apprendre leurs noms, voir leurs visages, entendre leurs voix. On va même croire, peut-être, comprendre quelque chose à leurs actes, ou du moins à la manière dont ils se répondent et s'organisent. Et ce soir ils seront morts.

Au matin, pourtant, tout était terriblement confus. Des pales d'hélicoptères vibrant dans le ciel gris, des gyrophares, des pare-chocs de véhicules blindés, des hommes en noir armés, casqués, cuirassés dont on filme le dos, ou le geste de la main balayant l'air devant la caméra : « Circulez ! » Il n'y a rien à voir en effet, mais personne ne circule. On reste là figés, hébétés, devant ce feuilleton à l'arrêt que les bandeaux déroulants nous présentent, faute de mieux, comme « La traque » ou « Chasse à l'homme en Picardie ». On stagne. Comment disait-on, avant-hier, sidération? Aujourd'hui, je dirai plutôt: stupéfaction. Car ce sentiment mêlé de terreur et de soumission à la brutalité de l'ordre des choses, les anciens le désignaient du verbe *vereor,* qui dit la crainte et la révérence.

Car regardez: le gouvernement, lui, selon les termes consacrés, « ne reste pas inactif ». Ce matin, vers 11 heures, on a filmé François Hollande entouré de ses ministres, conseillers et gardes de sécurité, parcourir à pied le court chemin qui mène du palais de l'Élysée à la place Beauvau où il devait coordonner, disait-on, les opérations en cours. L'image est frontale, grave, solennelle. Elle complète la gamme des représentations de l'*engagement* du chef de l'État, depuis le 7 janvier où, moins d'une heure après la tuerie de la rue Nicolas-Appert, il s'y risque, bravant comme on l'apprendra plus tard toutes les règles de sécurité tandis que ses services ne savent encore rien des tueurs, de leurs complices et de l'ampleur de la menace, et jusqu'à la marche du 11 janvier où là encore, une quarantaine de chefs d'État défileront ensemble à Paris – quelques dizaines de mètres, c'est entendu, mais dans des conditions telles que l'angoisse est palpable. C'est fait pour ça, d'ailleurs : que le chef aille au-devant de sa peur pour nous délivrer de la nôtre. En théologie politique, cela s'appelle l'incarnation. Voici pourquoi, au-delà du courage physique, ce qui compte est de rendre visible un corps qui, physiquement, s'engage – c'est-à-dire, n'y allons pas par quatre chemins, nous rentre dedans.

Puisque évidemment, ce n'est pas n'importe quel corps qui s'avance, mais celui du chef des armées, celui qui décide d'engager les forces de la nation. Voici donc ce qui nous est donné à voir en ce matin du 9 janvier. Le déploiement inexorable de force dont seul est capable l'État. Dans notre monde moderne qui tient la violence en horreur, on ne le tolère et ne le tient pour légitime que lorsqu'il installe un rapport de force d'une inégalité proprement écrasante. Voici pourquoi les guerres lointaines du monde occidental ne peuvent se dire et se voir qu'à la manière d'opérations de police. Mais la police ici a la dimension d'une armée : c'est elle qui est lancée aux trousses des frères Kouachi. Il est 9 h 30, c'est fait, ils ont été formellement repérés à Dammartin-en-Goële, dans une imprimerie où ils ont manifestement pris un otage, ou deux, on ne sait pas très bien, de toute façon on n'y voit rien. Les hélicoptères survolent la zone, les troupes d'élite prennent position, les journalistes sont écartés. C'est fini. Ce soir ils seront morts.

Ils n'ont aucune chance, tout le monde le sait, et eux les premiers. Un mois plus tard, on saura tout de leur misérable cavale, braquant une station-service pour se ravitailler en Kinder Bueno, Twix ou Choco BN, dont ils se gaveront en grelottant sans doute, dans la forêt de Retz, près de Villers-Cotterêts – tu parles d'un dernier repas. Cette dissymétrie dans le recours à la force

prise d'otage de l'imprimerie de Dammartin induit un faux suspens, mais comment sortir de sa tenaille? Les hasards de la vie font que je connais tous ces lieux: la forêt de Villers-Cotterêts et le village de Corcy où ils se planquaient, la nationale 2 vers Crépy-en-Valois où ils ont tenté de courser les flics – des lieux vagues et flous qui ne disent pas grand-chose à grand monde, mais moi je les connais, pour avoir jadis côtoyé ceux qui les habitaient, ou plus exactement ceux qui ne les habitaient pas tout à fait, car il s'agit en réalité de non-lieux qui grèvent les marges incertaines du périurbain, terreau privilégié du parti politique que l'on sait. Voici donc où tout va se dénouer, la pauvre scène où ce soir au plus tard ils mourront. Je ne parviens pas à sortir de l'étreinte. Quand je détourne le regard de la télévision, c'est pour revoir compulsivement ce qu'internet offre de pire en ce moment – ces images d'une émotion proprement insoutenable, où on a vu que les caméras ne se détournaient pas, ou ne recu-laient pas un peu, lorsque des témoins des scènes de la guerre parisienne du 7 janvier, ou des parents de leurs victimes, s'effondraient en larmes sur les plateaux de télévision, et que sommes-nous devenus pour nous infliger pareil spectacle, durant de longues minutes, vision intolérable qui nous aurait révoltés en temps normal et que là, pourtant, nous recherchons avidement ? C'est une spirale. Je n'ai pu m'empêcher, cette nuit, de me relever pour voir ce que cela donnait, sur Twitter, quelque chose comme #jesuiskouachi. Il aurait mieux valu ne pas.

13 h 30, je n'en peux plus et je sors. À peine dehors, la laisse de mon portable me retient et me ramène en arrière. Nouvelle alerte : prise d'otages à la porte de Vincennes. Là aussi je connais, et m'inquiète pour mon fils qui restera consigné dans son lycée tout l'après-midi, pris dans le périmètre de sécurité. Car on se met à parler comme cela, maintenant, on s'échange des SMS ou des informations en se disant l'air de rien, tu t'en souviens, « périmètre de sécurité ». Fragiles

et tremblants, crevassés à force d'être immobiles comme le sont les presque cadavres des vieillards alités, nos corps poreux se laissent gagner par le lexique guerrier. Et l'on se rend compte, incrédules et honteux, que tant d'heures passées devant le spectacle des horreurs du monde (mais aussi, oui tu as raison, devant l'impeccable engrenage scénaristique des séries télévisées qui leur font écran) nous y a insidieusement préparés – sans doute pas pour y participer activement, encore qu'on ne sait jamais, mais au moins pour y acquiescer en employant les mots qu'il faut au bon moment.

Périmètre de sécurité, donc. En quelques minutes il est étendu de chaque côté du boulevard périphérique. Les caméras de télévision filment la voiture du ministre de l'Intérieur, escortée d'hommes très lourdement armés courant de part et d'autre. Où a-t-on vu de telles scènes, sinon à Beyrouth, à Sarajevo, en tout cas dans les villes en guerre ? Quand a-t-on ressenti pareillement la crainte que tout bascule d'un coup dans une situation incontrôlable, sinon lors des périodes de guerre civile ? Tu le dis depuis le début, bien entendu c'est le bon mot – quel autre pourrait-on employer ? Cela a lieu depuis deux jours, dans le centre de Paris, rue Nicolas-Appert où onze personnes sont mortes, boulevard Richard-Lenoir où une douzième fut abattue, puis la course-poursuite vers la place du Colonel-Fabien, une première voiture abandonnée rue de Meaux, puis une seconde qui passe la porte de Pantin, on perd sa trace, ils sont partis du côté de Villers-Cotterêts, mais voici le lendemain un autre tueur porte de Montrouge, fusillade, une personne est morte, et le surlendemain c'est à une autre porte de Paris, celle de Vincennes, qu'a lieu une prise d'otages, pendant qu'une autre se déroule à Dammartin-en-Goële – depuis deux jours, oui, Paris, centre et périphérie, est en proie à la guerre civile.

Cela ne signifie pas seulement la guerre près de chez nous, cela veut dire qu'on se situe alors à l'exact opposé de ce que les

militaires appellent si opportunément les
« théâtres d'opérations extérieures ». Écoutez
bien, chaque mot compte, car le vocabulaire
militaire a ceci d'implacable qu'il s'impose à
la société tout entière pour liquider le réel :
théâtre, non parce que c'est un jeu, mais
parce qu'on y est spectateur et que les rôles y
sont joués par des professionnels ; *opération*,
puisque la guerre ne se dit plus qu'en feignant
d'être ce qui nous guérit d'elle-même (une
sorte de technique chirurgicale) ; *extérieure*,
soit au plus loin. Là c'est tout le contraire, les
mots du déni n'ont plus de prise sur le réel :
c'est nous, c'est la guerre, c'est ici. Tout dès
lors se resserre inexorablement comme un
piège, puisque c'est du proche que viendra
désormais le danger. Ce retournement des
choses constitue la logique même de guerre
civile. Elle passe par une conversion urbaine.
La géographie familière, d'un coup, se laisse
gagner par une topographie de la peur.

Un homme armé est entré dans une
épicerie de la porte de Vincennes. Des coups

de feu ont été entendus, il y a sans doute des victimes. Le nom de l'épicerie? Hyper Cacher. Ça y est, on a compris. Quatre syllabes et on a compris. Pas besoin de faire un dessin. Les mots sont lestés du poids écrasant d'une histoire sans fin. Bien plus tard, on révélera quelques retranscriptions sonores du film que capturait la caméra embarquée du tueur. Des clients voient débouler un homme équipé comme un guerrier et leur première réaction est apparemment d'incrédulité ou d'incompréhension – en tout cas, ils n'ont peut-être pas immédiatement peur. C'est presque vexant pour le tueur. « Vous n'avez pas compris hein ? » Peut-être pas, non : ils venaient tranquillement acheter leurs brioches avant shabbat et ne se savaient pas en guerre. « Vous êtes de quelle origine ? » « Juif », répond quelqu'un. « Eh bien voilà, vous savez pourquoi je suis là alors, *Allahou akbar*. » Inutile de faire un dessin. Les Juifs n'ont pas besoin de caricaturer qui que ce soit pour insulter le Prophète et mériter la mort. Ils sont juifs et méritent la mort.

Eh bien voilà, ça recommence. On voit cela, on comprend immédiatement, la honte déferle à une vitesse telle qu'elle noie toute autre sensation. Nuit noire. Des visages la transpercent, tant de visages, ils reviennent, et une fois de plus comment les apaiser sans redire leurs noms? Le 11 mars 2012, à Toulouse, un homme tue un parachutiste français d'origine marocaine, Imad Ibn Ziaten, 31 ans. Quatre jours plus tard, le 15 mars, à Montauban, le même tireur, qu'on appelle alors l'homme au scooter, tue deux militaires français d'origine algérienne, Abel Chennouf, 26 ans, et Mohammed Legouad, 24 ans, avant de prendre la fuite en criant « *Allahou akbar* ». Loïc Liber, militaire français d'origine guadeloupéenne, 28 ans, grièvement blessé à la tête, est laissé pour mort. Le 19 mars, quatre jours plus tard, toujours à bord d'un scooter, et portant une caméra sur sa poitrine, le tueur se présente devant le collège et lycée juif Ozar Hatorah, rue Jules-Dadou à Toulouse. Il tue un des professeurs et rabbin, Jonathan Sandler, 30 ans, et ses deux fils, Gabriel, 3 ans, et Aryeh, 6 ans. Puis il entre dans la cour de l'école. Une petite fille s'enfuit. Myriam Monsonego, 8 ans. Il l'attrape par les cheveux, la vise à la tempe mais son arme s'enraye. Calmement, il sort un autre pistolet, la vise encore, la tue à bout portant, s'enfuit. L'homme qui a fait cela s'appelle Mohammed Merah. Il est identifié par la police, traqué, abattu chez lui, à Toulouse, dans la nuit du 22 au 23 mars 2012, après plus de trente heures de siège, à 23 ans.

La honte, oui. Qu'avons-nous fait après Merah, qu'avons-nous fait *vraiment*? Et après la tuerie du Musée juif de Bruxelles le 24 mai 2014, quatre morts, par Mehdi Nemmouche, 29 ans, une kalachnikov et une caméra en bandoulière, qu'avons-nous fait, sinon commencer à nous y habituer? C'est ce qu'ils veulent, bien entendu. On entre dans une école juive, un musée juif, une épicerie casher, on tue des Juifs, on crie « *Allahou akbar* », pas besoin d'explications superflues, tout le monde est censé comprendre. « Eh bien voilà, vous savez pourquoi je suis là alors. » Si c'est le cas, si l'on n'hésite pas, si l'on ne reste pas interdit ne serait-ce qu'une fraction de seconde, quelle terrifiante victoire de la haine. Parce que toute cette histoire au fond, je veux dire tuer des Juifs car ils sont juifs, peut bien se répéter encore et encore, interminablement, elle n'en restera pas moins incompréhensible, profondément incompréhensible, de manière insondable. Oui c'est la nuit noire, comment dire autrement.

Face à une attaque terroriste, la révolte est impossible. On subit inévitablement, dans un premier temps, le déploiement d'un discours en actes, et ces actes doivent s'accomplir pour révéler leur propre logique. Celle des tueurs des 7, 8 et 9 janvier 2015 n'a rien de spécifique : elle était sinon prévisible, du moins écrite d'avance par plus intelligents et plus cyniques qu'eux. Assassiner des intellectuels libéraux, des apostats et des Juifs – mais si possible hors des synagogues : tel est le programme, dit du troisième djihad, que nos trois valeureux candidats au martyre n'ont fait qu'appliquer à la lettre, docilement. Ce programme fut théorisé, disent les spécialistes, par Abou Moussab al-Souri, de son vrai nom Mustafa Setmariam Nassar, dans un ouvrage de 1 600 pages publié sur internet en 2004 sous le titre *Appel à la résistance islamique mondiale*. Tout y est : la stratégie, la marche à suivre, les cibles. On tue des intellectuels libéraux, puis des apostats (entendez : des musulmans servant sous l'uniforme d'une force armée occidentale), puis des Juifs. On y va pas à pas. Il suffit de dérouler. Le 9 c'est le jour des Juifs. Voilà ce qu'il y avait à comprendre. Voilà ce que l'on comprit sans coup férir.

La révolte est impossible, seul demeure l'héroïsme. Il prit ce jour-là le visage d'un jeune homme de 24 ans, Lassana Bathily, employé à l'Hyper Cacher. Au moment de l'attaque, il réussit à cacher plusieurs personnes dans le sous-sol, avant de s'enfuir pour prévenir les flics du RAID, leur fournir un plan précis des lieux, ainsi que la clé du rideau de fer qu'ils utiliseront pendant l'assaut. Lassana Bathily fut le héros positif des jours qui suivirent. Un héros français : on a dit de lui qu'il était sans-papiers mais c'est inexact. Lassana Bathily est un immigré malien, arrivé en France en 2006, ayant obtenu une carte de séjour en 2011 et déposé une demande de naturalisation française en 2014. On la lui accorda, onze jours après les faits. À écouter le récit qu'il en fit plus tard, on se surprend à rêver sur ce que pourrait être une *simplicité désarmante*. Des gens sont en danger, il va tenter de les protéger, voilà tout. Et quand on lui dit : mais vous êtes musulman et ils étaient juifs, il répond qu'il ne comprend pas où est le problème. Voilà ce qu'il aurait fallu ce jour-là : ne pas comprendre. Mais les rideaux se sont fermés sur l'Hyper Cacher et les caméras de télévision se braquent désormais sur les murs noirs d'un rez-de-chaussée d'immeuble. C'est bas et triste comme un tombeau. On n'y voit rien. Malheureusement, on comprend aussi très bien ce qui s'y passe.

Tout allait donc se dérouler très vite désormais. Une heure avant l'attaque de l'Hyper Cacher, la police confirmait la « connexion » entre la fusillade de Montrouge, la veille, et celle de *Charlie hebdo,* l'avant-veille : on apprendra plus tard que le tueur était à Montrouge le 8 pour repérer l'école juive qu'il prévoyait d'attaquer. Une heure après l'attaque de la porte de Vincennes, l'appel à témoins est diffusé. Le nom du troisième homme y apparaît. Amedy Coulibaly, 32 ans. Mais son visage est flanqué d'un autre : une jeune femme brune, plutôt jolie, l'air buté, qui vous regarde avec défi. Hayat Boumeddiene, 26 ans. Je m'approche de l'écran de télévision qui diffuse l'affichette siglée de la préfecture de police de Paris. Un Noir, un couple. Immédiatement les souvenirs affluent : Youssouf Fofana, qui enleva, séquestra, tortura et assassina Ilan Halimi en 2006 avec de nombreux complices, dont une fille surnommée Emma qui servit d'appât ; et avant eux l'équipée meurtrière d'Audry Maupin et Florence Rey en 1994, mais oui je reconnais cette mine farouche, et n'était-ce pas déjà cours de Vincennes, et comment on a disserté alors sur le romantisme révolutionnaire, l'idéal combattant et la violence politique. On pensait que les choses étaient déjà assez compliquées. En quelques secondes, par une cascade d'associations d'idées et de réminiscences, inévitablement, elles le deviennent davantage.

Saïd Kouachi, Chérif Kouachi, Amedy Coulibaly : les terroristes. Les voici enfin au complet. Et ce soir ils seront morts. Depuis, sur eux, nous avons lu tant de portraits, d'enquêtes, d'analyses. Mais le temps presse, allons au plus simple : disons que ce sont des histoires françaises. Trois destins d'aujourd'hui, avec leurs lots de malheurs et de malchances, de mauvaises fréquentations, d'existences qui se cherchent un but, d'adolescences qui passent mal, d'histoires familiales imparfaitement assumées. De la violence, bien entendu, mais pas seulement. De la prison, mais aussi des centres de loisirs, des stages, des boulots, des associations, des travailleurs sociaux, des journalistes.

D'ailleurs c'est bien simple : il n'a pas fallu attendre longtemps durant cet après-midi de siège pour que les réseaux sociaux exhument des archives filmées de ceux qui étaient retranchés, les uns dans une imprimerie de Dammartin-en-Goële, l'autre dans une épicerie cacher de la porte de Vincennes. Tous étaient au moins une fois passés à la télévision, dans des reportages sur le rap, les conditions de détention, et même les succès de la réinsertion : on ressortit à l'occasion un article où Amedy Coulibaly était interviewé le jour de sa réception à l'Élysée parmi d'autres jeunes Français réhabilités et méritants.

Et plus tard, on aura même droit à l'album photo des vacances de Coulibaly : Hayat Boumeddiene en voile intégral tirant à l'arbalète dans le Cantal, Hayat Boumeddiene en bikini dans les bras de son vigoureux gaillard sur une plage de Malaisie, Hayat Boumeddiene dégustant des langoustes en République dominicaine. La misère? Peut-être, mais pas celle de la relégation, de l'exclusion ou de la pauvreté. La misère houellebecquienne des sentiments, des valeurs et des identités, celle qui s'accommode d'un peu d'aisance et de culture, de crédits à la consommation et de voyages *low cost,* mais jette des existences désœuvrées en quête d'un idéal romantique. Or ce mélange un peu navrant de sentimentalisme et de désir d'action, pour l'instant, ne trouve pas d'autre issue que la grande cause mondiale de l'islamisme politique.

C'est cela, l'histoire des terroristes du 9 janvier, non pas une lente descente aux enfers – comme c'était encore le cas pour Khaled Kelkal en 1995 ou Mohammed Merah en 2012 – mais la vie banale, hésitante et fragile de jeunes Français de confession musulmane, parfaitement visibles, que l'État, il faut bien le reconnaître, n'a pas renoncé à protéger et qui pourtant s'achève dans la jouissance du crime. Voici pourquoi c'est un jour de guerre civile. Voici pourquoi, ce jour-là, tous les idéaux, tous les discours, toutes les justifications, tous les réflexes, toutes les habitudes de la gauche antiraciste se trouvèrent définitivement à terre.

On traduit généralement l'arabe *chahîd* par « martyr ». Fetih Benslama suggère qu'il désigne plus exactement le mort-vivant et cite le cas d'un djihadiste français ayant déclaré : « Dieu a décrété ma mort avant même ma naissance. » C'est donc cela qui les rend si dangereux : au moment où ils commencent à agir, ils sont déjà morts. Nous racontons l'histoire comme un temps qui se déroule, mais pour eux c'est un compte à rebours à partir de leur propre mort. Vendredi 9 janvier 2015, à l'heure du prône de la mosquée, il est entré dans une épicerie cacher ; à l'heure du début du shabbat il sera mort. Ceux de Dammartin aussi, qui vraisemblablement coordonneront leurs sorties suicidaires. La nuit tombe sur le jour des terroristes. Un peu avant 17 h 15, Saïd et Chérif Kouachi se précipitent hors de l'imprimerie de Dammartin en tirant sur leurs assaillants qui ripostent et les tuent. C'est le signal pour l'assaut de l'Hyper Cacher : les policiers du RAID l'encerclent, ouvrent le rideau métallique, qui se lève avec une lenteur exaspérante, tirent à l'intérieur, d'où surgit Amedy Coulibaly qui tombe à leurs pieds, criblé de balles. Les otages sortent en courant, on entend un immense cri. Sur une photographie, il y a une femme avec un enfant dans ses bras. L'expression de terreur sur son visage, la bouche immensément agrandie par un hurlement, on ne voit cela que sur les peintures anciennes et devant elles, devant ces grandes frayeurs mythologiques, on pense ordinairement qu'elles exagèrent, que cela ne se peut. Mais si, voyez : ça a eu lieu.

Quatre morts en plus donc. On ne connaîtra leurs noms que le lendemain, mais les voici : Philippe Braham, 45 ans ; Yohan Cohen, 20 ans ; Yoav Hattab, 21 ans ; François-Michel Saada, 64 ans. Le soir même, on donne donc le bilan définitif : dix-sept morts en tout. C'est qu'on ne compte pas les terroristes. Et que va-t-on faire de leur corps? On n'en veut pas non plus. Comme tout cela va être terriblement compliqué. Ils sont morts parce qu'ils étaient déjà morts. Mais qu'est-ce qui était mort en nous pour qu'ils le soient à ce point? Je me dis à ce moment: peut-être n'en sortirons-nous pas. Le lendemain, au même endroit, Manuel Valls répondra aux propos de Benjamin Netanyahou invitant les Juifs français à immigrer en Israël pour y trouver la sécurité que la France sans les Juifs ne serait pas la France. Mais au cours de cette cérémonie informelle, la ministre de la Justice Christiane Taubira est huée. Et l'on apprendra quelques jours plus tard que les familles des quatre victimes désirent qu'elles soient inhumées à Jérusalem. Tout va devenir tellement compliqué. On n'y voit plus rien. Une seule certitude, peut-être, à laquelle se raccrocher: nous serons après-demain place de la République.

L'escorte des stupéfactions
11 janvier 2015

Le 10 on n'a rien vu non plus, c'était relâche. Je n'en ai pas profité pour avancer d'un iota dans les pensées, la réflexion, on est encore dans la période, qui va s'éterniser, où les couches de données se superposent sans s'amalgamer ni constituer un ensemble cohérent. Mais je sens confusément que je ne suis pas fâché de ne pas être à Paris le 11. Je serais allé à la République, bien sûr, sans arrière-pensée ni me poser de question ; rien de ce que j'en ai vu filtré par les médias, les récits, ne me semble douteux ni réellement discutable, et aucun des arguments développés les jours suivants, en particulier par la gauche de la gauche (puisqu'on ne parle plus d'extrême de ce côté-là), pour justifier une non-participation, ne me semble réellement recevable. Mais pour moi la République restera liée au soir du 7, à la fluidité et au recueillement des corps assemblés, à la foule silencieuse et mouvante.

En attendant, et je ne m'aviserai que quelques jours après du point nommé de ce choix, j'écoute en boucle, quand je ne suis pas devant le robinet à plans de coupe, les albums d'un groupe de rock indépendant libanais qui m'enchante depuis quelques semaines, Mashrou' Leila, parce que depuis trente ans j'écoute beaucoup de musique venue du monde arabe, dont par ailleurs j'ignore à peu près tout ; mais avec la musique quelque chose d'immédiat s'établit qui m'émeut et me rend singulièrement heureux. Quand je les verrai sur scène à Paris quelques semaines plus tard, hasard du calendrier, une dame assise à côté de moi, Libanaise un peu vieille France, s'étonnera de ce que j'aime ces chansons sans en comprendre les paroles et me dira qu'elle apprécie tout particulièrement le chanteur, lequel, précisera-t-elle presque à mi-voix, a fait son coming-out à Beyrouth sans que ça fasse d'histoire (ce que je savais). C'est donc à cette source-là que je vais puiser parfois de quoi me réassurer quant à nous-mêmes, à la communauté que nous formons dans la musique arabe, par exemple, à la place qu'elle me fait à ses côtés, à la place qu'elle se fait dans le monde d'où elle vient, à la place qu'elle fait à ses chanteurs sortis du placard. Et j'entendrai comme un écho des rues arabes printannières dans le vers « Dites-leur que nous sommes toujours debout », psalmodié *ad libitum* au final de la chanson *Wa nueid* que ledit chanteur dédiera aux « *Paris events* » du mois dernier…

Car il faut bien y revenir. C'est la première fois, je crois, que nous sommes amenés à vivre un événement de cette ampleur-là dans ce monde-là, qui n'est déjà plus celui du 11-Septembre, que nous sommes désormais tenus de peupler tout entier : il faut tout

penser en même temps, vérifier en permanence la validité des liens qui s'établissent
ou se défont entre des événements qui ne
cessent de survenir, et nos difficultés à le faire
pointent les limites des instruments à notre
disposition comme de nos capacités d'en-
tendement. Les chaînes d'info en continu
ont produit des quantités considérables de
plans de coupe, donc, et les réseaux sociaux
un slogan, instantanément mondialisé, qui
renverra tout aussi instantanément tout un
chacun à une brutale question identitaire
en le sommant d'y répondre sous peine de,
sinon s'exclure, du moins se distinguer de la
communauté : être ou ne pas être.

C'est pas ça, pas comme ça, ça ne peut
pas marcher, mais à peine sur le réseau l'in-
jonction est dans les têtes du monde entier
et c'est trop tard, pas de remords possible
disais-tu, nous voilà Charlie, c'est magique.
Je passe mon tour. J'ai simplement noté que
la mention « Je suis juif » ou « Je suis flic »
était plus fréquemment brandie que « Je

suis musulman », et que l'identité la plus absente, dans tout ça, était quand même « Je suis athée » (comme une tasse, ajoutait Francis Blanche). Bref, dans la mesure où, avant tout, je est un autre, c'était assez mal barré. Car tout ce qui n'est pas Charlie, voire tout ce qui est Kouachi, Coulibaly, comme tout ce qui a refusé d'observer la minute de silence, le 8, n'est pas forcément terroriste, évidemment, ni même susceptible de le devenir, mais nous tend un miroir où ce que nous voyons est massivement blanc, de peau et parfois de peur. Et s'il y a une proportion toujours plus importante de la population française pour penser, et désormais pour dire ouvertement (comme en témoignera début mars la publication des tweets et autres inter-ventions plus ou moins publiques et résolu-ment racistes et ordurières de la ribambelle de candidats FN aux prochaines élections, et fin mars probablement le résultat desdites élections), pour dire, donc, « Sale Arabe » en désignant indistinctement Français et étran-gers, il faut se faire à l'idée qu'il y a aussi des

Français, de souche comme les autres, pour penser et dire ouvertement de nous, blancs de peau et de peur, « Sale Français ». Guerre civile, disions-nous.

Mais le 11 je ne pense pas encore tout cela en détail, c'est diffus, ramassé, et le soir je serai quand même un peu stupéfait de ce que j'ai vu à la télévision, de ce que les amis, ici et là, ont raconté au téléphone. France Info à la mi-journée donne pour la manifestation qui s'est déroulée le matin à Guéret, préfecture de la Creuse, le chiffre astronomique, à l'échelle locale, de 5 000 participants, soit l'équivalent du tiers de la population de la ville. Du jamais-vu, à ma connaissance (hélas d'ailleurs – je n'arrive pas à m'enlever de la tête que nous aurions bien dû nous assembler ainsi en 2012 au moment de l'affaire Merah). Le reste de la journée, côté statistiques, sera à l'avenant. Au total, dans tout le pays le soir venu on estimera à près de quatre millions le nombre de personnes descendues dans la rue. Pas de langage cinglant, mais des corps assemblés, donc, quatre millions, ça ne veut pas rien dire, même si ça ne dit pas tout (des petits malins faisaient remarquer que par conséquent 62 millions de personnes n'avaient pas manifesté, très drôle). Évidemment, on se dit le soir même qu'il faudra regarder les chiffres de plus près, comme une carte de résultats électoraux, histoire de confirmer qu'on n'a pas rêvé et qu'à Clermont-Ferrand, agglomération de 470 000 habitants, ils étaient 10 000 de plus que dans les rues de Marseille, troisième ville de France avec 1 700 000 habitants dans l'agglomération. Mais on savait déjà ça. Sans doute un homme de l'art géographique et statistique a-t-il déjà dressé une de ces cartes dont les échelles de couleur sont à elles seules autant de coups de poing, où apparaissent soudain, renvoyant au néant toute forme de commentaire, des recoupements cruels (revenu moyen par habitant, résultats du FN, catégories socioprofessionnelles, pratiques religieuses, participation aux rassemblements d'aujourd'hui…). Ni pour juger, ni pour condamner, simplement pour savoir.

À Paris, en tout cas, puisque c'est Paris évidemment que le monde entier regarde, un bloc de corps sans discontinuité des Grands Boulevards à la Nation, et la rue non pas tenue mais occupée jusque tard dans la soirée. Je n'y étais pas, mais nous y étions, tu y étais d'une certaine façon pour moi, avec les enfants, et cela m'allait bien. En réalité, spectacle stupéfiant que de voir l'ovation faite aux forces, armées et de l'ordre, et derrière elles, à travers elles, le compliment adressé au trio Hollande, Valls, Cazeneuve. Et constat plus stupéfiant encore que de n'en être pas choqué! Eh bien oui, il faut s'y faire, encore deux choses diamétralement opposées à faire tenir dans un même regard, dans une même pensée, l'usage abusif de la force à Sivens en octobre dernier, l'usage ciblé de la force à Dammartin et à Paris avant-hier, par les mêmes hommes et la même chaîne de commandement. Mais il faut savoir, on délègue ou pas. En l'occurrence, on est plutôt contents d'avoir délégué. Donc ça applaudit à tout rompre et à tout bout de champ, on trouve que finalement le trio en question est à la hauteur, de l'État et de la situation, qu'ils ont de l'envergure. Mais en réalité, c'est la situation qui a de l'envergure, elle les hisse au diapason, et ce qu'il faut reconnaître c'est qu'ils s'y tiennent, qu'ils ne jouent pas des coudes, ne sur- ni ne sous-réagissent. C'est déjà ça. Ça ne durera pas, naturellement, dans deux mois Cazeneuve déclarera en substance, après l'expulsion des zadistes de la zone qu'ils occupaient à Sivens, qu'il est bon que le respect des lois prenne le pas sur le recours à la violence, comme si la violence était tombée du ciel, et Valls, qui ne manque pas d'air, se plaindra de ce que les intellectuels ne jouent pas leur rôle face au FN, et de nouveau il faudra se pincer pour s'assurer d'avoir bien entendu.

Quoi qu'il en soit, du 7 au 10 ils ont fait le job, comme on dit, et le 11 ils vont même innover, et nous par conséquent, en mettant en place au milieu de la manifestation parisienne un carré VIP comme on en a rarement vu. Lequel a fait couler beaucoup d'encre, et en a même incité plus d'un à ne pas faire le déplacement, sur l'air de « on ne va pas défiler derrière ces crapules ». J'entends l'argument, mais pour le coup je ne le trouve pas à la hauteur. D'abord parce qu'il m'a nettement semblé que les crapules en question défilaient derrière les gens, et non le contraire, qu'ils ont fait ces quelques pas essentiellement pour la photo, certains cyniquement (à cet égard Nicolas Sarkozy nous aura procuré le quart d'heure de détente que nous espérions tous, avec ses pathétiques manœuvres de cour de récré pour finir au premier rang, et on se prend à frémir à l'idée que tout ça aurait pu survenir avec lui à l'Élysée…), d'autres, je le parierais, sincèrement, et surtout, surtout, qu'ils étaient là non tant par démagogie que parce qu'ils avaient peur. Je me demande même si, d'une certaine manière, ils n'avaient pas encore plus peur que nous, ce qui serait normal si, comme tu le dis, il fallait qu'ils aillent au-devant de leur peur pour nous délivrer de la nôtre, il fallait qu'ils incarnent, ce qui ne va finalement pas de soi dans des parcours politiques où les occasions d'incarnation se font rares, le boulot étant de plus en plus affaire de boutiquier. La photo plein cadre de la brochette de premier rang dans toute sa largeur, publiée par *Courrier international* quelques jours après, a l'air photoshopée et me laisse incrédule, comme si des têtes connues, voire couronnées, avaient remplacé en studio celles d'anonymes défilant, à coups de détourages et d'estompages. Au-delà des calculs, des arrière-pensées, des coups bas, des mesquineries, il reste le fait, accompli, imparable, politique : une quarantaine de chefs d'État et de gouvernement sont venus des quatre coins du monde fouler une centaine de mètres du pavé parisien, être là une dizaine de minutes, aux côtés des milliers et milliers de Parisiens, et incarner cette vision moderne du corps du roi. Présence, incarnation, disais-tu, oui, il n'y a pas de doute, pas plus qu'il n'y a de doute sur le fait que ça n'aurait pas pu se produire ailleurs qu'à Paris. Et ça non plus ça ne veut pas rien dire.

Car l'émotion est mondiale, les reporters des chaînes de télévision ont abreuvé les rédactions de plans de coupe athéniens, new-yorkais, berlinois, stambouliotes, de « Je suis Charlie » déclinés sur tous les tons à Ramallah, Tel-Aviv, Saõ Paulo, Bujumbura, Bangkok, tout cela inonde les écrans le soir du 11, quelques jours plus tard ce numéro de *Courrier international* reproduira d'innombrables unes affichant toutes, dans les alphabets les plus improbables, le même message de refus, la même image de la place de la République. Elle est mondiale parce que le monde entier persiste à nous assimiler à la patrie des droits de l'homme et de la liberté d'expression, parce que le monde entier nous délègue le soin de porter ça, ce symbole, cette charge. Partout dans le monde on assassine des journalistes, des dessinateurs, sans qu'on s'en émeuve plus que ça, mais quand ils sont français, en France, ça ne va plus, non pas, pour une fois, parce que nous serions hystériques, narcissiques, déterminés à faire de notre cas un exemple, mais parce que c'est le fusible qui saute et que chacun voit bien que, sans fusible, il est plus exposé – si nous ne publions pas ces fichues caricatures, qui le fera? (Réponse le 14 janvier dans la presse internationale à l'apparition de la nouvelle une de *Charlie hebdo*.) C'est pour ça qu'ils sont venus si nombreux, les chefs d'État, c'est pour ça qu'un peu partout ça se rassemble et ça proteste, ils sentent qu'il faut nous soutenir pour que nous puissions continuer à être insolents, insupportables, brillants, paresseux et parfaitement inqualifiables, ils ont besoin qu'on le reste. Ils ne savent pas, les pauvres, qu'en réalité ce mythe-là est au bord de l'effondrement, que plus personne ou presque ne lisait *Charlie* avant le 7 janvier alors qu'il réalisera, dans une semaine, le 14, le plus gros tirage de l'histoire de la presse française, que tout ça on n'en avait pas grand-chose à faire, ni de défendre quoi que ce soit, liberté d'expression ou autre, d'ailleurs vous verrez quand on aura collé le FN bien haut, ce qu'il restera de tout ça, et peut-être vous direz-vous que vous auriez pu faire le déplacement avant, manifester avant. Mais avant il n'y avait pas eu de morts dans les rues de Paris (seulement dans celles de Toulouse, et moins, et juifs), alors à quoi bon venir saluer des corps pressés qui ne savent que courir ?

C'est une affaire de corps, pardon d'y insister. Quand c'est une affaire de tête ça ne suffit pas. Le 9 ce qui a été touché ce sont les corps, poreux comme tu dis, et aussitôt gagnés par le lexique guerrier. Ils sont toujours au centre de la cible, celle, effective, des viseurs, comme celle, symbolique, des censeurs des trois religions monothéistes, toujours prêtes à se battre, se déchirer, s'anéantir, envoyer les fidèles au casse-pipe, mais toujours promptes à faire l'union sacrée quand il s'agit de régenter les corps aux deux points essentiels dont elles essaient toujours de nous déposséder, nos amours (hier ni adultère ni sodomie, aujourd'hui pas de mariage pour tous) et notre mort (pas de fin de vie assistée). Et ce sont encore les corps, des rois et des manants, qui défilent ce 11 janvier dans les rues de Paris, mais précisément parce qu'on est dans les rues de Paris les corps des manants ne sont pas à la traîne, ce sont plutôt les rois, empesés et distraits, furtifs, qui le sont. Et nombre d'entre les manants savent que devant eux c'est la « gueule noire » des jours de guerre qui s'ouvre, comme le dit Coetzee, et qu'on ne pourra pas compter sur ces rois-là pour y faire face, seulement sur les corps assemblés et le langage cinglant. Les corps sont là, déjà, le langage se prépare, s'entraîne, ici même c'est bien un peu de ça qu'on tâche de témoigner, pour la suite on verra.

Pas de marche pour moi aujourd'hui, loin de Paris et des villes, je l'ai dit, assis devant la télévision je tourne tout ça en tous sens jusqu'à l'abrutissement. Et la laïcité, la liberté d'expression, le blasphème, les caricatures, qu'est-ce que j'en pense, est-ce que j'en pense seulement quelque chose ? À vrai dire ces quatre éléments-là me sont une évidence que je ne questionne pas, ce qui fait de moi sans aucun doute possible un Français ; c'est intégré, sédimenté, c'est dans la venue au monde, et même si par la suite j'ai appris que ce n'était pas une évidence pour tout le monde, aujourd'hui je sais, absolument, c'est-à-dire dans mon corps et pas seulement dans ma tête, que c'est même une rareté, une exception, un immense privilège que je dois à 1789, à la loi de séparation de l'Église et de l'État, à Daumier, à la belle cohorte de nos révolutions. Mais, naïveté pour naïveté, j'ai celle de penser que la liberté d'expression ne craint rien, que quelle que soit la violence, parfois inouïe, dont elle est toujours en quelque endroit du monde l'objet, elle renaîtra sans cesse, fruit de la liberté de penser que nul ne peut atteindre (l'intelligence artificielle étant encore à l'état de projet, même si nombre d'irresponsables y travaillent activement, semble-t-il). J'ai le plus grand respect pour la foi en quelque chose bien au-dessus de nous, aucun pour ses diverses traductions politiques. Le blasphème comme la caricature sont une hygiène de la pensée, je ne comprends pas qu'on n'admette pas ça – je ne demande pas qu'on y adhère, ni même qu'on le comprenne, simplement qu'on l'admette, tout comme j'admets, inversement, qu'on en soit choqué sans parvenir à comprendre pourquoi. Mais je m'égare, probablement, je dis ici le vrac de la pensée confuse, perfusée de plans de coupe, exaspérée, épuisée. Et cette histoire de foulard qui progresse à bas bruit depuis plus de vingt-cinq ans (Creil, 1989), sur laquelle je n'ai jamais été fichu d'avoir le moindre avis, oscillant sans arrêt entre ces opinions d'une amie chercheuse impliquée dans le monde de l'immigration et dans celui de l'éducation, qui depuis cette date-là souligne la menace, mesure la progression, pointe nos démissions, et l'image tant vantée de l'Angleterre voisine qui laisse s'exprimer toutes les différences. Ce soir du 11, évidemment, l'avis de cette amie sonne comme un reproche, et le lot de départs de parfaits Britanniques pour les cieux syriens et leurs horizons d'égorgements comme un échec patent de la politique anglaise. Tout penser en même temps, tout mesurer, tout prendre en compte parce que plus rien n'est isolé, tout est lié, raison pour laquelle, entre autres, la question de la guerre est une des tenailles dans lesquelles nous sommes pris : ne pas intervenir, s'en laver les mains, laisser par exemple les Irakiens, les Syriens descendre aux enfers sous un déluge de bombes, de feu, d'armes chimiques en protestant mollement (« Indignez-vous » ? Mais nous ne faisons précisément rien d'autre…) ; intervenir, comme le réclamera Christophe Barbier dans un hallucinant éditorial vidéo posté fin février sur le site de *L'Express,* en martelant « La guerre, la guerre, la guerre », comme si ça pouvait déboucher sur autre chose qu'un carnage généralisé qu'il faudra de toute façon venger quelques générations plus tard. Des impasses meurtrières, d'un côté comme de l'autre.

Le 11 toujours, avec à peine quelques neurones en stock, je quitte le poste de vigie télévisuelle assez tard, les rues se vident, l'immense foule reflue, tout s'est « bien » passé finalement, au point où on en était ça aurait pu ne pas : nouvel attentat, débordements en queue ou en marge de cortège, que sais-je ? Aucun doute, « il a pensé qu'à sa gueule Chérif ». Saïd et Amedy aussi bien sûr puisque, comme tu le dis, et la formulation, enfin, de cette évidence-là me trouble infiniment, il était déjà mort, et les deux autres aussi (on lira début mars dans *Libération* ce propos d'un combattant chrétien du Kurdistan syrien à propos des djihadistes de Daech : « Ce sont des fantômes ces gars-là »). Mais des morts-vivants, qui, dans la réalité, ne revêtent aucun des oripeaux dont les fictions hollywoodiennes les parent, mines pâlichonnes, démarche hésitante, propos sommaires, caverneux. La réalité dépasse toujours la fiction. Cette dimension-là, bien sûr, elle est à l'œuvre au plus intime des gestes de ceux qui sèment la mort ainsi, quelles que soient les justifications qu'on leur trouve, sentimentales, familiales, économiques, ici idéologiques, ceux que Hans Magnus Enzensberger a appelés les « perdants radicaux ». Ils sont, tu as raison encore, dans la jouissance, dont on sait qu'elle déploie ses fastes et ses noirceurs bien au-delà du plaisir. Là, ils sont intouchables, et nous ne pourrons jamais nous prémunir de ça, faire en sorte que cette scène-là ne fasse pas irruption, çà et là, sur le théâtre de nos opérations. Ces trois morts, il se trouve qu'on ne les compte pas, qu'on parle des dix-sept morts de ces trois rudes journées, alors qu'ils sont vingt. Il y a, incontestablement, dix-sept victimes, mais vingt morts. Ils ont été enterrés, on l'a dit, chacun chez lui. À l'exception des quatre victimes de l'Hyper Cacher, dont les corps ont été ensevelis à Jérusalem, comme l'avaient été ceux des victimes juives de Merah, avec l'aide du gouvernement israélien, qui tient décidément à ce que les Juifs de France la quittent, même morts – mais voilà au moins quatre tombes qui ne seront pas profanées par une brochette de lycéens français désœuvrés dont on se demande si leur crâne abrite bien un cerveau (ou sont-ce les prémices de l'intelligence artificielle ?). Et si les trois assassins, qui ont pris trois jours pour mourir tout à fait, sont enterrés chez eux, c'est-à-dire en France, qui à Reims, qui à Gennevilliers, qui à Thiais, ce sont des tombes anonymes qui les recueilleront, après une amorce de polémique car personne n'en voulait, de ces trois corps-là, on en aurait bien fait, comme toujours avec les terroristes, des morts sans sépulture.

Je m'étais naïvement dit, voici quelques années, que l'économie finirait par triompher de tout, tellement insinuée au plein d'un langage de moins en moins cinglant et de corps de moins en moins assemblés, qu'elle finirait par acheter une sorte de paix molle à peu près générale, parviendrait à contenir les conflits à quelques marges irréductibles, aux marches du monde, dans les soutes. Or, c'est l'idéologie qui triomphe, bien sûr. Personne n'achètera les soldats de ces combats-là, ceux dans le viseur de qui nous sommes, à coups de crédits à la consommation et d'iPhone 6 puisqu'ils ont déjà tout ça et s'en servent magnifiquement. Par exemple pour filmer, outre l'exécution des hommes, celle des statues. Car les statues meurent aussi, et dans quelques semaines des cris d'orfraie monteront de toutes parts quand Daech s'attaquera aux antiquités de la vallée du Tigre, comme les talibans avaient en leur temps liquidé les bouddhas de Bamiyan. Allez, avant d'aller dormir et de faire les beaux rêves de lendemains chantants, une petite dernière, bien déplaisante : qu'est-ce qu'il vaut mieux défendre, les hommes ou les statues ?

La continuation du pire
14 janvier 2015

C'est un petit bonhomme enturbanné, tout de blanc vêtu, l'air gentil et triste. Barbu aussi, et sur fond vert : vous voyez le genre. Le Prophète ? C'est vous qui le dites. Si on l'estime irreprésentable (ce qui ne fut pas toujours le cas, et ne l'est pas encore aujourd'hui pour tous les musulmans dans le monde), le reconnaître ainsi est déjà un acte de foi. Et d'ailleurs, comment caricaturer un visage qu'on ne connaît pas ? Mais admettons : le Prophète. Il a la larme à l'œil et brandit, comme tout le monde, sa petite pancarte « Je suis Charlie ». Lui aussi donc. Alors oui, si c'est le cas, « Tout est pardonné ». Les lettres noires qui disent cela, au-dessus de sa tête, on ne sait pas très bien si elles dansent ou si elles tremblent. Ce que je sais, en revanche, c'est le sentiment que m'inspira cette image au moment même où je la vis : un immense soulagement. Ils avaient donc réussi.

Dès le lundi 12, tandis qu'on en était à commenter l'événement stupéfiant de la veille, les yeux se braquèrent à nouveau sur la petite équipe des survivants de *Charlie hebdo*. Pour leur demander quoi ? L'impossible bien entendu : les manifestations monstres des samedi 10 et dimanche 11 étaient comme la marche funèbre que la nation reconnaissante accordait aux années 68. Cette fois-ci, ils étaient morts, et bien morts, avec une unanimité générationnelle assez touchante – tout de même, quand on y pense, il n'y a pas tant de lieux que cela où l'on peut tenir en joue, au bout de sa kalachnikov, des quadragénaires et des septuagénaires travaillant ensemble à rire des mêmes blagues. C'était donc l'occasion ou jamais de ressortir, une dernière fois, le vieux slogan soixante-huitard : soyons réalistes, demandons l'impossible.

Faire sortir le journal une semaine après le carnage, le journal des survivants donc, voici bien un défi impossible. S'ils y parvenaient, promis, en échange, on établirait un nouveau record : quatre millions de personnes dans la rue, huit millions d'exemplaires vendus – le tout pour un journal minoritaire qui, une semaine plus tôt, n'intéressait plus personne. Après un massacre historique, une manifestation historique, pourquoi pas un tirage historique ? L'histoire, c'est comme le sport de compétition : quand on est chaud, on est chaud. Sauf qu'ici, on continuait à déléguer : aux flics l'usage de la force, aux dessinateurs la dérision. « Allez-y les gars ! » On se doutait bien que cela serait court et violent. Après viendrait le temps des doutes et des chagrins, l'interminable séquence des enterrements, la lente descente des déceptions, mais il s'agissait de prendre tout cela de vitesse. On leur serait vraiment reconnaissants de nous faire bien marrer une dernière fois – et puis ensuite, promis, de nouveau on ne l'achèterait plus leur canard.

Des témoins ont rapporté qu'à leur première réunion de rédaction, à la question : « Bon alors, on le fait ce journal ? », l'un d'eux répondit : « Je ne sais pas, y a quoi comme actu ? » Vraiment c'est très drôle. Je suis d'une génération qui a cru, sincèrement, à la puissance émancipatrice de ce type d'humour, pensant qu'il était susceptible de renverser le monde en menant une guerre contre la connerie sous toutes ses formes : programme assez ample, mais entraînant et efficace. Nous y avons cru, puis nous nous sommes peu à peu laissés gagner par l'idée qu'il s'agissait en fait d'une impasse, que la dérision n'était rien d'autre que le ricanement des nantis, qu'elle s'accommodait fort bien de tous les petits arrangements de cette caste arrogante et étriquée qui nous gouverne, et que par conséquent elle constituait le type même de la fausse subversion, confortant l'ordre qu'elle prétendait moquer.

Je regarde la couverture du n° 1178 de *Charlie hebdo*, sorti le mercredi 14 janvier, et je pense alors subitement que j'ai peut-être eu

tort de penser tout cela. Retour aux fondamentaux. Alors oui, tout est pardonné. Je me
souviens avoir souri d'aise en la voyant pour
la première fois, je me souviens même avoir
murmuré : « Que c'est beau ». Ce qu'il y a
de beau ici ? La rencontre impossible entre le
courage et l'ambiguïté, le doute et l'opiniâ-
treté, la compréhension et l'aveuglement, la
brutalité et la délicatesse – et surtout, pour
réconcilier l'ensemble, une conjuration d'intelligence. Car qui pardonne à qui ? Et qui
est Charlie ici ? On s'épuiserait à commenter
doctement toutes les subtilités de l'image
– encore aujourd'hui, quelque chose en moi
y renonce et y répugne, je préfère m'approcher au bord de l'abîme qu'elle ouvre sous
nos pieds. L'approcher pour retrouver, inen-
tamé, le bien qu'elle me fit en me donnant
l'impression que l'histoire, enfin, se portait
à notre secours – celle des années soixante-
dix, bien entendu, qui revenait réclamer
ses droits, mais avec elle celle bien plus
ancienne de toute la culture, pardon pour
les grands mots, mais disons l'effort continu

pour comprendre les choses, les hommes, les situations, et en rendre compte avec justesse, avec beauté.

Seulement voilà : pas du tout. Mais alors pas du tout. Cela ne s'est vraiment pas passé comme ça. Le coup de la rédemption ou du repos du guerrier, la posture sacrificielle qui, depuis *Hara Kiri,* rend cette manière d'allier le tact à l'obscénité dans les corps exposés constamment et ironiquement christique ? *Faites-nous rire.* Les réactions ne tardèrent pas à arriver, et cette fois-ci encore du monde entier. Le monde oui, celui-là même qui l'avant-veille avait conflué, enthousiaste et solidaire, dans la Ville lumière. Il n'était plus Charlie tout d'un coup. Il se ravisait. Bien du temps avait passé cela dit : imaginez, quarante-huit heures. Le temps de peser le pour et le contre. Alors de partout arrivaient désormais des réactions indignées, boudeuses ou simplement dubitatives. Pas nécessaire-ment de très loin, inutile de nous refaire le coup de la « rue arabe » : disons par exemple d'Angleterre, d'Allemagne, d'Espagne.

Non, là ce n'était pas drôle. Ça allait trop loin. Ils exagéraient. L'avaient bien cherché finalement. Désemparés, on accusait ceux qui ne riaient pas de lâcheté: c'est dire que ça partait mal, cette histoire de pardon généralisé. Et puis, bientôt, on se rendit compte qu'en France même cela ne passait pas, mais alors vraiment pas du tout. Des amis me disaient: c'est irrespectueux, c'est maladroit, c'est une faute. Irrespectueux ce petit bonhomme aux yeux ronds que l'on embarque dans son chagrin? J'entends, j'admets, je crois même que je peux respecter mais malgré tous mes efforts, et croyez bien que je ne me braque pas, je tente d'être calme, respire mon gars, respire, voici bien longtemps que je m'exerce à penser à l'encontre de moi-même, à la limite je n'aime rien tant que cela, entendre craquer les os du crâne à force d'y déplacer des idées, je veux dire d'en faire vriller le point de vue, alors c'est le moment ou jamais – mais là non, désolé, je ne peux pas, je n'y arrive pas, je ne comprends pas. C'est comme buter sur son socle de croyances, de valeurs, de certitudes peut-être : appelez cela comme vous voudrez. Disons que ça ne bouge pas. Nous sommes quelques-uns dans ce cas, mais pas tous. Et on le sait parfaitement désormais. Cette fois-ci, nous sommes vraiment revenus de la République, ramenés à notre principe de minorité. Nous sommes le 14 janvier. Nous sommes le jour où nous fûmes seuls.

Alors on peut dire : tout s'est donc passé comme prévu. Nous nous étions réveillés le lundi 12 janvier avec le sentiment vague et confus d'avoir vécu un moment monstrueux par son ampleur, mais qui contrevenait d'une certaine manière à l'enchaînement meurtrier des jours précédents. Une réparation certainement pas, un sursaut pas davantage : on laissait faire les hommes politiques qui évoquaient « l'esprit du 11 janvier », on réapprenait sans peine à les écouter d'une oreille distraite, disons qu'ils continuaient à faire le job, on ne leur en voulait pas vraiment, pas encore, mais on savait bien que les appels à l'unité nationale n'expriment le plus souvent que des intentions inavouables. Les choses reprenaient leur place, et avec elles l'indignité ordinaire : nous y étions presque résolus.

Pas de vaine espérance donc, mais cette idée consolante que les perdants radicaux du djihadisme, amants fougueux de leur propre mort, allaient une fois de plus produire des effets contraires à leurs buts proclamés. N'était-ce pas toujours ainsi avec le terrorisme, cet art de perdre toutes ses guerres ? Voyez, du point de vue de Ben Laden, l'après du 11-Septembre : des bases américaines partout en Afghanistan, les lieux saints profanés, des régimes effondrés – joli résultat. C'est précisément pour tirer les leçons de cet échec cinglant qu'avait été théorisé le programme du troisième djihad, celui d'Abou Moussab al-Souri, ciblant désormais intellectuels libéraux, apostats et Juifs pour porter la *fitna,* disons la discorde et la guerre civile, au cœur des sociétés occidentales.

Si le programme est bien celui-là – et comment douter qu'il le soit, quand il continue jour après jour, inexorablement, à se dérouler sous nos yeux? –, il ne devient réellement efficace qu'à partir du moment où les terroristes attaquent des cibles, et avec elles des valeurs, que nous croyons sincèrement vouloir défendre, mais qu'en réalité nous ne défendons plus parce que nous ne les aimons pas. Nous ne les aimons pas parce que nous ne nous aimons plus – ou plus exactement, parce que nous n'aimons plus rien d'autre en nous que de nous détester. Voici pourquoi il était pour eux si judicieux d'assassiner des Juifs, des musulmans sous l'uniforme français et des journalistes de *Charlie hebdo*: c'était frapper ceux que l'on n'aime vraiment pas sans pouvoir se l'avouer, c'était raviver de très vieilles blessures, exciter l'inconsolable par les exaspérations du temps, administrer aux foules assemblées une fulgurante leçon d'histoire.

Oui les choses se passent depuis le début comme tu l'as dit: nous sommes tant, et si divers, et depuis si longtemps que nous ne supportons plus de faire nombre. Telle est la force proprement ahurissante des minorités minuscules – et l'on ne comprend rien aux trajectoires individuelles des nouveaux martyrs d'Allah décrites par Farhad Khosrokhavar dans son implacable analyse de la radicalisation djihadiste en Europe si l'on ne saisit pas ce principe de minorité, porté aujourd'hui à l'incandescence de sa brutalité nihiliste par les combattants de Daech. Il suffit de quelques loups pour affoler le troupeau central qui n'aime rien tant que resserrer les rangs pour former une proie facile et douce. Voici pourquoi l'islam politique ne peut qu'échouer à prendre le pouvoir, mais devient de plus en plus dangereux à mesure qu'il prend conscience de cette impossibilité. Il triomphe seulement là où il demeure ultra-minoritaire, et sa victoire prend la forme de cette *fitna* qu'il fiche dans nos têtes, ces mots de la guerre civile qu'il enfonce dans nos gorges.

Entendez bien : je ne dis pas *fitna* pour feindre de croire qu'il s'agit de mots d'exportation dont on pourrait aisément s'exonérer. C'est notre guerre, ce sont nos mots pour la dire, et depuis si longtemps. C'est notre habitude que de former ainsi de grandes communautés d'émotion, puis aussitôt d'en avoir honte, puis de nous flatter de notre propre honte. Cette joie féroce de la détestation, certains la nomment civilisation européenne. Alors on se disperse à nouveau en solitudes apeurées, et cela a eu lieu le 14 janvier, mais ayant lieu cela ordonnait l'ensemble non pas en une collection disparate de faits contradictoires, impossibles à penser ensemble, mais au contraire en un enchaînement orienté et cohérent, qui prenait dates en somme, au sens où l'on dit d'un récit qu'il commence à prendre forme, et cette forme avait pris son élan avant le 7 janvier, bien avant en fait, et voilà c'est notre histoire.

On dit parfois : comme ils la connaissent bien, notre histoire, comme ils savent toujours admirablement se faire haïr en s'attaquant à ce que nous pensons avoir de plus cher, comme ils n'ignorent rien de nos plaies les plus secrètes pour y porter si précisément le fer. On se trompe évidemment : ce n'est pas seulement notre histoire, c'est aussi la leur ; ils n'ont pas à l'apprendre puisqu'ils la vivent. Elle est en eux comme elle est en nous : nos corps sont criblés de ses éclats, qui tintent et consonnent quand on s'amasse, et c'est cela qui se donnait à entendre dans le silence murmurant des grands défilés du 11 janvier.

Lorsque mon père m'a demandé s'il pouvait défiler avec nous ce dimanche, je me suis immédiatement souvenu qu'il m'avait accompagné à ma première manifestation, alors que j'allais avoir 15 ans. C'était après l'attentat de la rue Copernic à Paris, le 3 octobre 1980, au cours duquel une bombe placée devant la synagogue de l'Union libérale israélite de France avait tué quatre personnes. Raymond Barre, Premier ministre d'un gouvernement où Maurice Papon était ministre du Budget sans que pratiquement personne n'y trouve à redire, avait alors déclaré que « cet attentat odieux voulait frapper les Israélites qui se rendaient à la synagogue et [avait] frappé des Français innocents qui traversaient la rue Copernic ». Ainsi fut célébré le premier crime antisémite de l'après-guerre. Un chassé-croisé historique, en somme, entre le vieil antisémitisme d'État et son renouvellement arabe. Car l'histoire était alors bien embrouillée, entre terrorisme pro-palestinien, barbouzes et groupuscules nazis – allez vous étonner, après cela, que les gamins d'aujourd'hui court-circuitent leur ignorance en cherchant partout des complots: il serait plus facile de les en dissuader tout à fait si notre histoire contemporaine était exempte de ces complications, doubles jeux et coups tordus, si les services secrets n'existaient pas, si les gouvernements ne mentaient jamais, si leurs intentions étaient toujours celles qu'ils affichaient en toute transparence lorsqu'il s'agit d'engager la nation dans un conflit (vous vous souvenez de la première guerre du Golfe?).

À la croisée exacte du chassé-croisé meurtrier de la rue Copernic entre l'antisémitisme de l'extrême droite et la haine des Juifs qui s'autorise de la souffrance du peuple arabe se trouvait déjà, pour la France, l'immense blessure algérienne – où l'on retrouve Maurice Papon, préfet régional à Constantine depuis 1956, préfet de police à Paris lors du massacre de Charonne le 17 octobre 1961, où l'on retrouve l'OAS et le putsch des généraux, dont l'un donne désormais son nom à une rue de Béziers, mais où l'on retrouve aussi les atrocités de la guerre civile algérienne, le GIA, les attentats en France après que l'on a volé la victoire électorale du Front islamique du salut (huit morts à la station RER de Port-Royal, je m'en souviens parfaitement, c'était le 3 décembre 1996, j'attendais des amis qui tardaient à rejoindre une soirée, ils devaient prendre le métro, c'était un temps d'avant le téléphone portable, et je me dis alors, chose inconcevable pour une génération qui n'a jamais connu la guerre, ils sont peut-être morts déchiquetés par une bombe).

À tirer ce fil, c'est toute la pelote qui vient, où se trouvent pris Coulibaly et les frères Kouachi, rejetons tardifs de cette lignée pour qui les terroristes du GIA font figure de grands ancêtres. On apprendra d'ailleurs plus tard que Chérif Kouachi avait probablement participé à une tentative fomentée par leur mentor commun Djamel Beghal pour organiser l'évasion de Smaïn Aït Ali Belkacem, artificier des attentats à la bombe de 1995-1996 à Paris. Si bien qu'Abd al-Malik a raison aujourd'hui de rappeler que les Français n'ont pas attendu l'islamisme pour être antisémites, mais qu'on n'aurait pas tort non plus de lui répondre que depuis trente-cinq ans, ceux qui assassinent les Juifs en France le font au nom de la cause palestinienne et désormais de la défense de l'islam. Non que les autres soient devenus subitement ouverts et tolérants : ils sont juste moins bien organisés, plus médiocrement équipés, et chichement financés. Bons qu'à profaner des cimetières ou poster des pauvres blagues sur Twitter. Mais il ne faut pas désespérer : sans doute les événements vont-ils susciter une saine émulation sous certains crânes rasés, déjà qu'en 2011 la tuerie norvégienne d'Anders Breivik leur avait bien mis la honte (77 morts tout de même, et bien jeunes, bien aimables, bien comme il faut), il va falloir travailler à montrer qu'on n'est pas des mauviettes non plus, c'est bien gentil de balancer des grenades à plâtre sur des mosquées de banlieue ou de gueuler en queue de manif quelques slogans contre les Juifs, mais enfin tout cela fait amateur face à l'énergie sauvage d'Utøya, la situation exige un peu de cran que diable, à nous les grands espaces, en avant la France du sursaut.

Quant à l'ancien président de la République qui jouait des coudes au bras de son mannequin sur le retour pour gagner quelques places dans le carré VIP poussé en avant par la marche du 11 janvier, il l'a eu finalement son grand débat sur l'identité nationale. Un peu à contretemps c'est vrai, et pas exactement comme il l'avait espéré sans doute. Il n'empêche : ce qui le poussait aux fesses, et avec lui tous ses chers collègues, était quelque chose comme un musée de l'Histoire de France en marche, faisant mouvement. De la République à la Nation en passant par Voltaire. Tout y était, symboles, slogans, devises, drapeaux, références, chants guerriers. *La Marseillaise,* par exemple, parlons-en : elle faisait murmurer dans les cortèges ceux qui s'étonnaient de l'entonner et qui, surpris de cette incongruité (quand on gagne au foot, passe encore, mais là qu'est-ce qu'on fête ?), tentaient de s'en justifier. « Qu'un sang impur abreuve nos sillons. » C'est notre sang, expliquait devant moi une jeune fille à son compagnon effrayé de se découvrir soudainement si martial, en fait cela veut dire que nous acceptons de nous sacrifier, nous les gueux, qui ne faisons pas partie de la noblesse de sang pur. Pas du tout évidemment, c'est plus simple que cela : l'hymne patriotique et révolutionnaire de l'armée du Rhin ne dit pas autre chose qu'il faut saigner tous les salauds. « Paroles atroces », disait Jaurès de *La Marseillaise,* sans doute, mais qui fait tinter à nos oreilles délicates le temps pas si lointain où nous menions la guerre emplis d'une passion allègre, et comprendre du même coup que ce qu'il y a de vraiment très déplaisant dans la manière dont le djihadisme la rappelle à notre bon souvenir c'est qu'il nous oblige à considérer le fait que le carnage organisé s'est inventé en même temps que la démocratie.

« Ensemble, unis, pour la démocratie. » Voici aussi ce que l'on a entendu dans le cortège du 11 janvier. Ce slogan m'a laissé perplexe : en quoi s'agissait-il de défendre la démocratie, n'était-ce pas plutôt les valeurs de la République qu'il s'agissait de réarmer, en reprenant un à un tous les mots qu'on nous avait volés, et dans ce cas, pourquoi celui de république ne passait-il pas la barrière des dents serrées, qu'est-ce qui demeurait rentré en lui pour qu'on veuille se masser sur la place qui la nomme sans vouloir la dire ? C'est le 14 janvier que j'ai compris, devant l'incompréhension que suscitait la une de *Charlie hebdo* : par démocratie, il fallait entendre ici non pas un régime, un gouvernement ou une représentation politique mais bien une forme de société. Et plus particulièrement, une forme désirable de vie en société. Voilà où, pour ma part, je pouvais sans peine me retrouver. On peut chercher à comprendre ce que les terroristes haïssent le plus en nous, mais dès lors que le massacre a eu lieu, on est aussi en droit de définir seuls ce que nous sommes prêts à défendre, ce à quoi nous tenons vraiment, ce qu'il nous importe le plus de définir comme nous appartenant en propre. Tel est le sens politique de ces journées, et il engage l'idée même de liberté publique. Pour ma part, je peux dire sans grande difficulté : un endroit où des flics à vélo sont chargés de défendre les dessinateurs d'un journal satirique qui moque tous les pouvoirs pendant que des Juifs vont paisiblement faire leurs commissions dans une épicerie casher est un endroit où je veux vivre. Et puisque cette saynète urbaine s'est transformée en scène de guerre, on est en droit d'ajouter : ils sont morts et nous voulons rester vivants.

Mais comment nommer cet endroit ? C'est là où le 14 janvier nous laissa désemparés. Vouloir défendre sa forme de vie en se contentant de la vivre malgré tout, de manière tenace et discrète, la défendre comme une vérité éthique qui s'éprouve dans le fait même qu'on la donne en partage, en faire non pas une doctrine ou une idéologie, mais une vérité sur ce qui nous lie, à nous-mêmes, entre nous et au monde – voilà ce à quoi l'histoire toute récente des insurrections pourrait redonner du lustre. Sauf qu'ici on ne savait plus, le 14 janvier donc, quel nom donner à ce désir. « Tout est pardonné » ? Au contraire : ils recommencent, ça recommence, on n'en sortira donc jamais. Devant le petit bonhomme aux yeux tristes, certains vont dire : une fois de plus, ils crachent sur la religion des faibles. Je suis sincèrement désolé, mais je ne vois pas l'insulte : comment faire dès lors pour ne pas se retrouver dans le camp des insulteurs, dont je ne nie pas qu'il est par ailleurs nombreux, sans gêne et dangereux. D'autres disent : ne voyez-vous pas qu'ils ont dessiné une tête de bite ? Non, je ne le vois pas, vraiment pas, et si je finissais par dire de guerre lasse qu'*on peut la voir ainsi,* la couverture de *Charlie hebdo,* je mentirais, car je m'éloignerais de ce moment où, au matin du 14 janvier, lorsque je la vis, je ne fus pas heurté mais reconnaissant, admiratif et soulagé. Si l'on ne peut faire en sorte de ne plus voir ce qu'on a vu, symétriquement, on ne peut décider de voir malgré tout ce qu'on n'a pas vu spontanément.

Des incorrigibles blasphémateurs dessinant le prophète d'une religion minoritaire coiffé de ses couilles, dans un pays qui s'obstine à légiférer sur le voile et à défendre une conception étriquée et agressive de la laïcité que plus personne ne comprend : ce n'était donc que cela, l'histoire ? Une gauloiserie en somme. Elle aurait un temps ému le monde, qui ne peut s'empêcher de s'attendrir devant l'arrogance butée des Français, exportateurs de produits de luxe, de bonne rigolade façon *Qu'est-ce qu'on a fait au bon Dieu?* et de scandales sexuels de portée mondiale. Il aura fallu que l'émotion planétaire s'invite dans le cortège de nos tristesses en ce dimanche 11 janvier, dans un Paris redevenu énergiquement hugolien, pour que l'on reprenne subitement conscience de tout ce qui nous précède, nous environne et nous oblige, ce que tu appelles justement la belle cohorte de nos révolutions. Et lorsque trois jours plus tard, le 14 donc, nous sommes brutalement ramenés à l'exigence de notre solitude, en ce lieu qui porte le deuil de cet irrépressible besoin d'universel, je pense au jeune Michelet écrivant en 1831 dans son *Introduction à l'histoire universelle*, « ce ne serait pas trop de l'histoire du monde pour expliquer la France », songeant que les historiens d'aujourd'hui seraient bien inconséquents s'ils ne s'emparaient pas franchement de cette ambition pour l'arracher à la médiocrité étriquée qui la confisque aujourd'hui.

Vivre si petitement dans une histoire trop grande pour soi : voici peut-être où commence l'interminable décomposition politique à laquelle on assiste impuissants. Y contrevenir exigerait de se ressaisir de cette question du corps politique, de s'en ressaisir avec véhémence mais aussi avec tact, d'y reconnaître l'empreinte de l'histoire et l'effroi de la sexualité, de la désœuvrer patiemment en la séparant de tous ces mots-écrans qui sont comme les points morts du discours. Laïcité, par exemple : mais qui dira avec assez de force que ce que nous exigeons des musulmans aujourd'hui, jamais la République ne l'a obtenu des catholiques, et surtout pas au moment de la séparation de l'Église et de l'État dont la « manif pour tous » vient opportunément de nous rappeler la portée véritable, poursuivant hardiment l'incessant combat pour le contrôle des corps ? Lumières également : il faudrait pouvoir rappeler que leur legs le plus précieux est une suite de problèmes davantage que de slogans, que Voltaire envisageait le blasphème comme une guerre contre soi et non contre les autres, et que lorsqu'il posait les bases du grand récit de la prééminence de la civilisation européenne qui nous embarrasse tant aujourd'hui, c'était comme moment et comme moteur de l'émancipation universelle. Mais cessons là : je commence à prendre du recul, à faire mon détaché. Il ne s'agit pas de cela ici, pas comme ça, pas tout seul. Ce qu'il fallait d'abord, c'est prendre dates, et le faire à deux pour se préparer à être ensemble, puisque deux en somme est le premier pas vers plusieurs.

Au matin du 14 janvier 2015, je n'ai vu la couverture du *Charlie hebdo* dans aucun des kiosques où je la cherchais. Tous avaient déjà été dévalisés. « Plus de *Charlie* », « Livraison demain » : partout des affichettes. Il y avait même, à la gare de l'Est, une petite file de gens qui s'était sagement formée pour inscrire leur nom sur un cahier, afin de prendre rang dans une liste d'attente, réservant leur place pour le lendemain. La couverture, je la vis dans les locaux de *Libé-ration* où la rédaction des survivants avait trouvé refuge, et où l'on accédait après avoir passé plusieurs contrôles d'hommes en armes, zigzaguant entre des checkpoints en chicane. J'y avais rendez-vous, après bien des hésitations, pour répondre à un entretien sur les événements des jours précédents. Sur le moment, en parler dans ces lieux me soula-geait plutôt. C'est quelques jours plus tard, en en relisant la transcription, que j'eus vrai-ment honte, prenant la mesure de ma vanité et de mon erreur. J'obtins, avec de plates excuses, l'annulation de sa parution.

Deux mois plus tard, Wajdi Mouawad me fit comprendre ce qui peuplait cette honte. Il dit : lorsque surviennent de tels événements, souffle aussitôt le vent violent des opinions. Elles sont comme le nuage de sauterelles obscurcissant le ciel. Tant qu'elles sont là, il n'y a rien à faire, rien à dire, sinon rentrer la tête dans les épaules et attendre qu'elles passent. Mais quand elles partent, le vacarme assourdissant qu'aucune parole ne pouvait percer fait place à un grand silence – et c'est alors que les choses deviennent réellement dangereuses. Nous risquons aujourd'hui d'entrer dans ce grand silence. De la stridulation des sauterelles, il n'y a plus rien à retenir : songez par exemple à ce flot de paroles, au mieux inutiles, au pire hystériques, sur les « incidents » qui ont accompagné la minute de silence imposée dans les établissements scolaires le 8 janvier. À les relire aujourd'hui, on est gêné par tant d'approximations, d'incompréhensions et d'ignorances. Toutes ou presque passaient consciencieusement à côté des problèmes actuels de l'enseignement, bien réels et plus inquiétants en vérité que ceux que l'on imagine pour leur faire écran, problèmes dont on peut prendre la mesure en lisant aujourd'hui, notamment sur les forums qui les rassemblent, les analyses et les récits de tous les enseignants qui ont tenté de faire face, généralement en improvisant des réponses aux questions que leur posaient leurs élèves, réponses qui, quoique diverses, avaient pour seul point commun de prendre le contre-pied des instructions officielles qu'on leur donnait. Mais il faut pour cela une patience et une bonne volonté dont sont dépourvus les commentateurs de l'immédiat. Vous les avez entendus s'empresser de négocier leur place dans le nuage de sauterelles, horlogers des menus déplacements, virtuoses des subtiles variations, chacun retrouvant d'instinct à se positionner là où les assignaient leurs préjugés idéologiques. Vous les entendrez encore poursuivre leur labeur, ici poussant leur avantage ou cultivant leur petite différence, là cherchant à fourguer leur came, partout entonnant l'air du je vous l'avais bien dit. Ne pas écouter les prophètes de malheur, dédaigner toute parole qui prétendrait, ne serait-ce que furtivement, trouver dans la situation présente la confirmation d'une conviction précédemment formulée : telle devrait être la règle de conduite minimale de tout débat collectif, sauf à considérer qu'il est juste et bon que le chien aboie quand la caravane passe.

Car le temps passe et avec lui l'oubli. Écrire aujourd'hui sur ces journées consiste à tenter péniblement de le retenir. C'est difficile et décourageant, comme de gravir à contrepente une rampe qui s'élèverait à mesure qu'on la parcourt. Pourquoi s'imposer un tel effort, quand tout nous pousse au contraire à oublier, à passer à autre chose, à admettre qu'il n'y a que des mots beaux et nobles pour former cette expression : « la vie reprend ses droits » ? Certainement pas en tout cas un quelconque devoir de mémoire. Un collectif s'est constitué pour protéger les graffitis, inscriptions, papiers collés et objets divers déposés autour de la statue de la place de la République depuis l'après-midi du 7 janvier, et dénonce régulièrement le saccage du « mémorial ». Mais cela ne peut évidemment pas l'être. Au bout de quelques jours déjà les fleurs fanaient, la pluie détrempait les dessins d'enfants, les messages s'estompaient, d'autres les remplaçaient – par exemple, tiens, depuis quelques jours « Je suis

Rémi Fraisse ». Dès lors, ce que l'on peut lire sur le piédestal du monument des frères Morice n'est pas l'inscription de l'émotion de ces jours, mais le temps qui passe sur elle, l'émousse ou la ravive, la trahit, la transforme. Ce temps n'a assurément pas la même texture pour tous – voici quelques jours s'exprimait pour la première fois Loïc Liber, que Mohammed Merah avait laissé pour mort à Montauban le 15 mars 2012, et qui n'a jamais vu le visage de celui qui lui tirait dans le dos : tétraplégique, il parvenait enfin, disait-il, à force de rééducation, à bouger un peu la tête.

L'hôtel de ville de Paris est encore crêpé de noir, arborant comme une vieille dame indigne le ruban « Je suis Charlie », mais elle a déjà quitté ses habits de grand deuil. Quant à la statue de la République, elle vient de se couvrir de quelques drapeaux tunisiens : vingt-deux morts au musée du Bardo à Tunis le 18 mars, ce n'est donc pas seulement contre les antiquités qu'ils en ont, mais contre l'idée qu'on puisse les regarder et, avec elles, voir ailleurs, voir avant, voir sans eux. Le surlendemain, 20 mars, l'organisation terroriste dite État islamique (qu'on appelle aussi Daech pour lui dénier le nom d'État) revendiquait un attentat dans deux mosquées de Sanaa, faisant 142 morts – y aura-t-il des drapeaux yéménites place de la République? En tout cas, le programme se poursuit. Cette année, *Mein Kampf* tombe dans le domaine public, allez-y voir: généralement, les grands criminels de l'histoire ne surprennent pas leur monde. Ils annoncent ce qu'ils vont faire à l'avance, avec franchise. C'est le cas, on l'a dit, pour les djihadistes d'aujourd'hui. Mais il arrive aussi, il arrive souvent, que les dangers annoncés ne soient pas ceux qui font le plus de mal, et que c'est en croyant les prévenir qu'on précipite le pire.

Nous y sommes. La catastrophe à venir ne sera pas ce qui surgit à la fin, mais ce qui se poursuit lentement, continûment d'un même mouvement, sans qu'on y trouve à

redire. Comment se résoudre à cette continuation catastrophique? Est-ce une vie
que d'attendre ainsi docilement le nouveau
scandale financier, la nouvelle victoire
du Front national, le nouveau best-seller
prônant la guerre civile, la nouvelle école
juive mitraillée, la nouvelle vidéo de décapi-
tation? Du 7 au 11 janvier, les représentants
politiques de la France ont, peu ou prou,
porté une parole publique que l'on aurait
pu croire plus irrémédiablement dégradée.
Cela ne tient pas lieu de politique, mais cela
la rend possible. Et voyez, depuis, comme
ils se relâchent: c'est que nous ne les serrons
plus d'assez près, reprenant aussitôt la sale
habitude de les laisser faire. Il vaudrait
mieux éviter désormais, car le temps presse.
Ce qu'on a fait ici, c'est occuper un peu,
faute de mieux, cet entretemps incertain
qui s'étire entre la stupéfaction de l'événement et le recul de l'histoire. Parce qu'il est
des situations où la précipitation et l'attente
conjuguent leurs effets pour créer le danger.
L'occuper un peu, en y jetant des mots,

en l'inscrivant quelque part, des noms et des dates, rien de plus. On sait faire, c'est vieux comme les tombeaux : s'occuper des morts et calmer les vivants. Pour le reste, ça commence. Tout est à refaire.

Patrick Boucheron

Léonard et Machiavel,
Verdier, 2008 et « Verdier/poche », 2012

L'Entretemps. Conversations sur l'histoire,
Verdier, 2012

•

Le Pouvoir de bâtir.
Urbanisme et politique édilitaire à Milan (XIVe-XVe siècle)
École française de Rome, 1998

Histoire du monde au XVe siècle
Fayard, 2009 ; « Hachette Pluriel », 2012 (direction)

Faire profession d'historien
Publications de la Sorbonne, 2010

Conjurer la peur : Sienne, 1338.
Essai sur la force politique des images
Seuil, 2013

Mathieu Riboulet

L'Amant des morts, Verdier, 2008

Avec Bastien, Verdier, 2010

Les Œuvres de miséricorde, Verdier, 2012

Lisières du corps, Verdier, à paraître

Entre les deux il n'y a rien, Verdier, à paraître

•

Un sentiment océanique, Maurice Nadeau, 1996

Mère Biscuit, Maurice Nadeau, 1999

Quelqu'un s'approche, Maurice Nadeau, 2000
(rééd. « Verdier/poche » à paraître)

Le Regard de la source, Maurice Nadeau, 2003

Les Âmes inachevées, Gallimard, « Haute enfance », 2004

Le Corps des anges, Gallimard, 2005

Deux larmes dans un peu d'eau, Gallimard
« L'un et l'autre », 2006

À la lecture (avec Véronique Aubouy)
Grasset, 2014

Cet ouvrage a été achevé d'imprimer en avril 2015
dans les ateliers de Normandie Roto Impression s.a.s.
61250 Lonrai
N° d'imprimeur : 1501804
Dépôt légal : avril 2015
Imprimé en France